Dominique Boisvert

ROMPRE !

Le cri des « indignés »

D0808523

RÉSILIENCE

Coordination de la production : David Murray
Graphisme : Louise-Andrée Lauzière

LES ÉDITIONS ÉCOSOCIÉTÉ
C.P. 32052, comptoir Saint-André
Montréal (Québec) H2L 4Y5

Dépôt légal : 3ᵉ trimestre 2012
ISBN 978-2-89719-015-6

Catalogage avant publication de Bibliothèque et Archives
nationales du Québec et Bibliothèque et Archives Canada

Boisvert, Dominique, 1948-

    Rompre ! le cri des « indignés »

    (Résilience ; 1)

    Comprend des réf. bibliogr.

    ISBN 978-2-89719-015-6

1. Mouvement des indignés. 2. Justice sociale. 3. Changement social. 4. Égalité (Sociologie). 5. Contestation.
I. Titre.

HM671.B64 2012   303.3'72   C2012-941937-0

Nous remercions le Conseil des Arts du Canada de l'aide accor-
dée à notre programme de publication. Nous reconnaissons
l'aide financière du gouvernement du Canada par l'entremise du
Programme d'aide au développement de l'industrie de l'édition
(PADIÉ) pour nos activités d'édition.

Nous remercions le gouvernement du Québec de son soutien
par l'entremise du Programme de crédits d'impôt pour l'édition
de livres (gestion SODEC), et la SODEC pour son soutien financier.

Conseil des Arts du Canada   Canada Council for the Arts   Patrimoine canadien   Canadian Heritage   Société de développement des entreprises culturelles   Québec

À tous ceux et celles qui, au fil de l'Histoire,
ont été des éveilleurs...

et à tous ceux et celles
qui voudront bien prendre le relais...

« Par définition, l'utopie est intempestive,
ce qui signifie qu'elle n'a pas sa place dans l'ordre
existant quel qu'il soit, fût-il bolchevik. (...)
Elle se situe dans un entre deux mondes : l'un qui se
défait et l'autre qui se construit dans une
conflictualité permanente ; telle est la place
inconfortable du *réel de l'utopie*. »

MICHÈLE RIOT-SARCEY

TABLE DES MATIÈRES

INTRODUCTION 7
    La gestation 7
    15 ans plus tard..8
    Pamphlet ou conversation ? 9
    Porter les questions jusqu'au bout 10
    Crier ou échanger ? 11
    Interpeller plutôt que convaincre 13
    Qui suis-je pour parler ainsi ? 14
    Le contenu 15

CHAPITRE I – ROMPRE ! 16
    Les sources du pouvoir 16
    L'utopie de l'arme atomique........................18
    Retirer notre consentement 19
        L'autorité 19
        L'adhésion 20
        Les compétences et connaissances 20
        Les facteurs intangibles 21
        Les moyens matériels........................21
        Les sanctions 23
    Dans nos pays du Nord........................23
    Désobéir 24

CHAPITRE II – ROMPRE AVEC... 27

    l'argent! 28

    la vitesse! 31

    la propriété! 33

    la guerre et la violence! 36

    l'acceptation de... l'inacceptable! 39

    la facilité! 46

    la liberté (mal comprise)! 50

    l'individualisme! 52

    la compétition! 54

    le « toujours plus »! 56

    la (sur)consommation! 58

    la « distraction »! 62

    la pornographie! 64

    le « travail »! 66

    la fuite en avant dans le virtuel! 69

    l'informatique? 71

    l'illusion technologique! 73

    la tentation de se prendre pour Dieu! 76

CHAPITRE III – OUI, MAIS... 79

    Rien n'est « noir ou blanc » 80

    Structures et bonne volonté........................80

    Dépassement et autolimitation 81

    Les progrès et « l'effet rebond » 81

    Le passé et l'avenir....................................82

    L'individu et le collectif 82

    La vérité et le doute 83

    L'Utopie nécessaire....................................84

    Sevrage et désintoxication 84

    Une révolution permanente 85

    Un défi décisif...86

    Un travail idéologique 87

Confiance et espérance...............................88
Risquer sa vie 88

CHAPITRE IV – QUE FAIRE ? 90
Il y aura mille chemins et mille chantiers 91
Nous ne partons pas de zéro 92
Refaire le tissu social.................................93
Récuser l'argent et son univers...................93
Refuser la vitesse et l'accélération
illimitée 95
Récuser la performance..............................97
Apprendre à penser
« à 7 milliards d'humains » 99
Accepter la Transcendance.........................101

CONCLUSION 103

RÉFÉRENCES 105

INTRODUCTION

CE LIVRE EST UN CRI. Un cri d'amour pour la vie, pour la planète et pour les hommes et les femmes qui l'habitent. Un cri du cœur pour un monde arrivé à un carrefour décisif de son histoire.

LA GESTATION

On ne parle habituellement pas dans un livre de la façon dont celui-ci a vu le jour : ce qui intéresse le lecteur, c'est le produit fini, pas sa lente germination. Je choisis de faire exception. Car le questionnement qui m'habite depuis deux ans, et les réponses que je lui ai finalement apportées, sont intrinsèques à ce que je veux partager dans cet essai.

Car si le medium est le message, comme le disait McLuhan, le questionnement et la manière d'y répondre jouent un rôle essentiel dans les réponses qu'on trouve. D'où l'utilité d'exposer, avant de plonger dans le résultat de ma réflexion (au chapitre II), quelques éléments essentiels de l'évolution de celle-ci.

En septembre 1997, je publiais dans la revue *Relations* un dossier complet consacré à la nécessité de « rompre avec le système économique néolibéral ». Dossier qui avait connu une assez large diffusion à l'époque[1].

Quinze ans plus tard, la situation du monde s'est considérablement dégradée, à plusieurs points de vue, et la nécessité de rompre est encore plus profonde et touche beaucoup plus de domaines. Les « indignés » (du nom inspiré par l'opuscule d'un vieux résistant, ancien diplomate et ambassadeur de 93 ans, le Français Stéphane Hessel), qui se sont manifestés partout sous divers noms et diverses formes au cours de l'année 2011 et du printemps 2012, l'ont exprimé de façon instinctive. Ce besoin profond de dire NON au monde tel qu'il va, même quand on ne sait pas encore par quoi on va le remplacer, est un « signe des temps » qu'il faut savoir écouter.

Je ne suis pas un porte-parole des « indignés ». Mais je crois ressentir leur colère et leur révolte, qui vont bien au-delà de ce qui fait périodiquement la manchette des médias. Je partage leur intuition du besoin urgent d'un monde *radicalement* nouveau. Eux aussi, à leur manière, nous appellent à « rompre » avec bien des aspects du présent. Et c'est pourquoi j'ai voulu reprendre la question, avec le recul, l'expérience et les connaissances accumulés depuis 15 ans.

---

[1] Dossier « Rompre ! », *Relations*, n° 633, septembre 1997, www.cjf.qc.ca/userfiles/Relations_Rompre_%20septembre 1997.pdf

J'ai d'abord voulu écrire un pamphlet. Crier haut et fort le « ras-le-bol » ressenti par tellement de gens, ici et partout dans le monde. Hurler mon indignation devant tant de situations inacceptables. Dénoncer les causes de ces dérives et de ces culs-de-sac. Écrire dans un style incisif, décapant, accusateur au besoin.

Puis un ami m'a demandé quelle était mon intention avec ce livre : haranguer une foule réunie dans un parc ou discuter en tête à tête avec une ou deux personnes autour d'un café ? Et j'ai réalisé que je m'apprêtais à écrire un pamphlet davantage pour me faire plaisir que pour le bénéfice du lecteur. Davantage par agressivité que par amour. Et que si je mettais l'intérêt du lecteur au premier plan, il valait mieux choisir le ton de la conversation.

D'autant plus qu'entre-temps, j'étais tombé par hasard sur le dernier livre de Frances Moore Lappé, *EcoMind : Changing the Way We Think to Create the World We Want,* où elle remet en question la plupart de nos slogans progressistes (besoin de décroissance, non à la société d'hyperconsommation, limites de la planète, etc.). Non parce qu'elle n'y croit pas, mais parce qu'elle les juge contreproductifs pour mobiliser les réveils nécessaires. Et cette inefficacité est due, selon elle, au fait qu'ils ne vont pas assez loin dans l'analyse des problèmes actuels. Comme si nos dénonciations et nos solutions de rechange étaient encore trop simplistes, trop influencées par la façon de penser dominante et qu'elles n'allaient pas jusqu'à la racine des défis à relever.

Nous vivons un véritable « changement d'ère ». Dans ces périodes historiques où même les façons de penser doivent changer, il est toujours plus facile de constater ce qui ne va pas que d'imaginer par quoi on pourrait concrètement le remplacer. Les échecs des anciennes façons de faire sont devenus énormes et manifestes (comme on le verra plus loin), comme si l'ancien modèle était épuisé mais sans que n'ait encore véritablement émergé de modèle de rechange. C'est d'ailleurs ce qu'on a constaté partout dans le monde, depuis le début de l'année 2011. Le « Printemps arabe », les « Indignés » ou les mouvements « Occupons » témoignaient tous clairement d'un refus : la dictature des élites, politiques ou financières, ça ne peut plus durer. Il faut inventer autre chose : une autre façon de gouverner, de faire du commerce, de la politique, de l'éducation, de la société.

Les questions sont devenues tellement complexes que les réponses habituelles ne conviennent plus. Il faut explorer des terres inconnues, avec tout l'inconfort que suscite ce genre d'exploration. Et la tentation est forte de se raccrocher à la première solution proposée, pour mettre fin au plus tôt à l'insécurité et se retrouver enfin en terrain familier. On l'a bien vu lors de la crise économique de 2008-2009 : les dirigeants et banquiers qui prétendaient appeler à une réforme du capitalisme se sont empressés d'adopter des pseudo-solutions qui n'ont rien réglé du tout, tandis que beaucoup d'entre nous croient encore qu'il suffirait d'une meilleure réglementation financière ou d'une intervention accrue de l'État dans l'économie pour remettre le système sur les rails.

En thérapie, quand un patient ressent une émotion forte, le thérapeute lui conseille de « rester dans son émotion », d'aller jusqu'au bout de ce que celle-ci cherche à lui dire. Alors que notre réflexe spontané est plutôt de fuir l'émotion et son aspect déstabilisant, en la niant ou en cherchant à « reprendre rapidement le contrôle de soi ».

De la même façon, nous sommes confrontés à des défis sans précédent, qui exigent des transformations *radicales* de nos façons de penser, de vivre et de faire. Radicales, au sens « d'aller à la *racine* des problèmes » et de ne pas se contenter de remèdes cosmétiques. Et pour cette raison, nous devons accepter de « poser les bonnes questions » et en assumer les conséquences. Il faudra bien sûr en arriver, à un moment ou l'autre, à expérimenter de nouvelles avenues ; mais de grâce, n'écourtons pas trop vite la période difficile de la remise en question.

C'est l'objectif de ce livre : prendre le temps de bien poser les questions. Sans chercher tout de suite, à tout prix, à fournir des réponses.

Crier ou échanger ?

Finalement, après des mois de réflexion, j'en suis venu à la conclusion que mon objectif, *dans ce livre-ci*, est de crier haut et fort un certain nombre de convictions et de remises en question, même et surtout sur des sujets habituellement tabous.

Devant ce monde qui craque de partout, bien des voix s'élèvent pour apporter, chacune, leur contribution spécifique : dénonciations, analyses spécialisées, études statistiques, suggestions concrètes, prospectives générales, etc. La mienne cherche à dire tout haut ce que plusieurs pensent tout bas ou intuitionnent confusément, à dénoncer bien des idées reçues ou des évidences, à risquer une parole que plusieurs trouveront utopique. Bref, tout le contraire de la *realpolitik*, des analyses raisonnables ou des compromis acceptables. J'assume pleinement ce rôle, convaincu qu'il a sa place dans la réflexion commune.

Mais si ce qui distingue la version finale du livre de ses premières moutures peut sembler au premier abord anodin, il s'agit pour moi de quelque chose d'essentiel : deux petits mots, « par amour », que j'aimerais avoir rendus sous-jacents à toutes les phrases de ce livre. Alors que « ROMPRE ! » se voulait presque un *cri de guerre* (ce qui est assez paradoxal pour un pacifiste !) contre tout ce qui va mal, « ROMPRE par amour ! » se veut un cri de ralliement, une *invitation au rassemblement des personnes* au service d'un monde nouveau à construire.

SI LA RUPTURE, AVEC CE QU'ELLE A D'EXIGEANT, EST TOUJOURS NÉCESSAIRE POUR ACCÉDER À DE NOUVELLES FAÇONS DE VOIR ET DE FAIRE (c'est le prix à payer pour le véritable changement), C'EST NÉANMOINS TOUJOURS L'AMOUR QUI DOIT LA GUIDER. Car celui-ci signifie à la fois *l'implication personnelle* (on ne se contente pas de demander aux autres de changer mais on s'engage déjà soi-même dans le changement qu'on réclame), *l'objectif visé* (ce n'est pas uniquement une question de politiques ou de structures, même si ça passe aussi par cela, mais bien un nouveau paradigme centré sur le bien commun) *et le moyen utilisé pour l'atteindre* (les luttes à mener devraient l'être au nom de l'amour et avec les moyens de l'amour : c'est le cœur même de la nonviolence[2] pratiquée et théorisée par Gandhi, Martin Luther King, le Dalaï Lama ou Aung San Suu Kyi).

INTERPELLER PLUTÔT QUE CONVAINCRE

Ce livre est court par choix. Il n'a pas l'ambition de démontrer ou de convaincre : il existe des dizaines de livres qui le font déjà, de façon concluante, sur chacun des sujets que j'aborderai ici. C'est pourquoi j'affirmerai une foule de choses que je ne me donnerai pas la peine de démontrer en les appuyant sur des références ou des recherches reconnues. Non parce que je ne pourrais pas le faire mais parce que ce n'est pas l'objectif du livre.

Mon objectif est d'interpeller, d'introduire le doute dans nos certitudes rassurantes, de secouer le confort de nos habitudes et de poser des questions radicales sur nos manières de vivre et de penser. Et pour ce faire, j'ai choisi d'aller à l'essentiel.

---

[2] Le mot *nonviolence* s'écrit normalement avec un trait d'union. Cette graphie a l'inconvénient d'insister sur l'absence de violence ou sur le refus de la violence, alors que ce terme est la traduction traditionnelle, en français, du terme sanskrit « satyagraha » popularisé par Gandhi et qui veut dire « poursuite ou force de la vérité ». Pour Gandhi, il s'agit d'abord d'une véritable force positive et non pas du seul renoncement à la violence. C'est pourquoi j'ai choisi d'écrire partout nonviolence en un seul mot, pour contribuer à en faire un véritable nouveau mot, dont le sens positif se rapprocherait de celui de Gandhi.

Pour m'adresser au maximum de gens possible, afin d'amorcer la réflexion nécessaire et la situer dans les enjeux fondamentaux, plutôt que pour développer cette réflexion ou la conclure.

Qui suis-je pour parler ainsi ?

Le lecteur est cependant en droit de savoir qui lui parle. Ne fût-ce que pour se faire une meilleure idée de la valeur des idées énoncées ou de la confiance qu'on peut leur accorder.

La vie m'a conduit sur bien des routes, du Canada au Vietnam, en passant par la Côte d'Ivoire, le Zimbabwe, le Chili et Haïti. Fait rencontrer bien des personnes, des étudiants aux réfugiés en passant par les milieux communautaires de la solidarité internationale, des droits humains, des questions spirituelles, de la paix et de la non-violence. Et m'a amené à pratiquer bien des métiers, de l'enseignement au journalisme en passant par le droit, la recherche et l'analyse, l'animation et la réflexion. Bref, la vie m'a donné la chance de la diversité, de la pluralité, de la curiosité et donc de l'ouverture à la différence.

Cela explique la vision englobante que je développe ici, par opposition à une spécialisation dans tel ou tel domaine.

De même, j'ai beaucoup lu, fréquenté réunions et débats, visionné reportages et documentaires, rencontré des acteurs de l'actualité ou des artisans d'alternatives. En ce sens, les idées exprimées ici me viennent d'innombrables sources et je serais bien en peine, pour plusieurs d'entre elles, d'identifier avec précision à qui ou à quoi je les dois. Toute vie se construit à partir des autres et la mienne est particulièrement composite. Je tiens donc ici à remercier tous ceux et celles qui ont contribué, le plus souvent à leur insu, à nourrir ma réflexion et mon action. Et comme j'ai choisi de réduire notes et références au minimum, je me contenterai de donner un certain nombre de références ou de pistes à suivre dans la bibliographie en fin de volume.

Le contenu

Après avoir analysé plus précisément ce que j'entends par « Rompre » (chapitre I), j'aborderai le cœur de cet essai : « Rompre avec... » (chapitre II). Puis je partagerai un certain nombre de réflexions qui en découlent : « Oui, mais... » (chapitre III), avant d'aborder brièvement quelques pistes générales mais concrètes d'action : « Que faire ? » (chapitre IV).

ROMPRE !

LA GUERRE CIVILISÉE, du spécialiste nord-américain de la nonviolence Gene Sharp, m'a fait découvrir la puissance fondamentale que peut avoir la rupture. Analysant « la défense par actions civiles », et donc comment s'opposer à un pouvoir qui cherche à s'imposer par la force, l'auteur consacre un chapitre entier à étudier les sources du pouvoir. Il montre que le pouvoir des « gouvernants » ne leur est ni inné, ni intrinsèque : « En fait, ils ne peuvent utiliser ce pouvoir que dans la mesure où on les laisse en disposer. »

LES SOURCES DU POUVOIR

Cette analyse du pouvoir politique peut s'appliquer, pour l'essentiel, à tout pouvoir social, qu'il soit économique, culturel, religieux, répressif, etc. Pour Gene Sharp, le pouvoir repose toujours sur un certain nombre d'éléments : l'autorité, l'adhésion, les compétences et la connaissance, certains facteurs intangibles (psychologiques ou idéologiques comme les émotions ou les croyances), les moyens matériels et finalement les sanctions.

Quand on analyse chaque élément de plus près, on constate que tous ces facteurs dépendent, pour l'essentiel, de l'attitude des « gouvernés » à leur égard. Car non seulement l'autorité du « gouvernant » est évidemment fonction de la plus ou moins grande adhésion des « gouvernés », mais même les compétences, les connaissances, les moyens matériels et la capacité de sanction des dirigeants ne leur appartiennent pas en propre. Ils dépendent tous, pour une large part, de la collaboration plus ou moins étroite d'un grand nombre d'intermédiaires et des « gouvernés » eux-mêmes. Ce qui permet à Sharp de conclure que « le gouvernant dépend du gouverné ». Ce que Gandhi résumait ainsi dans *La jeune Inde* : « Le gouvernement n'a aucun pouvoir en dehors de la coopération volontaire ou forcée du peuple. La force qu'il exerce, c'est notre peuple qui la lui donne entièrement. »

Bref, tout pouvoir dépend, pour l'essentiel, de l'adhésion plus ou moins grande et collective que les « gouvernés » accordent, consciemment ou inconsciemment, de façon tacite ou explicite, volontaire ou non, à ceux qui détiennent ce pouvoir. Il suffit, pour miner ce pouvoir de l'intérieur jusqu'à le faire céder, d'être suffisamment nombreux et déterminés à lui retirer toute forme de collaboration, d'adhésion ou de soumission. Ce constat est au fondement même de toute stratégie d'action nonviolente.

C'EST CE « RETRAIT DE NOTRE CONSENTEMENT » QUE J'APPELLE ROMPRE. Et cela peut s'appliquer à n'importe quel aspect de ce monde qui va mal.

L'UTOPIE DE L'ARME ATOMIQUE

Utopie que cela ? Sharp rappelle que « la plupart des gens trouvent étrange, voire absurde, l'idée qu'une population puisse – sans armées, sans chars ni avions, sans bombes ni missiles – renverser une dictature, réduire à l'impuissance des armées d'invasion, empêcher une prise de pouvoir contraire à la Constitution et vaincre des agresseurs. Cette idée n'est pourtant pas plus étrange que celle qu'eurent une poignée de scientifiques dans les années 1930, lorsqu'ils émirent l'hypothèse que des particules de matière qu'on n'avait encore jamais vues, les *atomes,* recelaient une puissance extraordinaire que l'on pouvait capter pour produire une capacité explosive sans précédent dans l'histoire humaine. L'exactitude de cette idée semble évidente de nos jours mais, en 1939, la plupart des gens ayant un peu de *sens commun* l'auraient rejetée. »

Et pourtant, à cause de la guerre, on a consacré des ressources considérables, en argent comme en cerveaux et en recherche, pour vérifier cette hypothèse peu vraisemblable et tenter de la rendre opérationnelle. Avec les résultats que l'on sait, non seulement sur le plan militaire, mais aussi dans ses applications civiles ultérieures.

Il peut en être de même avec bien d'autres « utopies », tellement plus humaines et moins dévastatrices que la bombe atomique. Il suffit d'y mettre la même volonté politique et d'y consacrer les mêmes ressources nécessaires. Sans compter que nos connaissances et nos moyens technologiques et financiers sont infiniment plus grands maintenant qu'ils ne l'étaient avant la Deuxième Guerre mondiale.

RETIRER NOTRE CONSENTEMENT

Que se passerait-il donc si, pour chacun des thèmes que nous allons aborder dans le prochain chapitre, nous retirions notre consentement ? Et surtout, comment cela pourrait-il s'opérer ? Pour y arriver, il est utile de reprendre, une à une, les diverses composantes du pouvoir pour en examiner les failles.

L'autorité

Il est incontestable que nous avons abdiqué, de plus en plus, notre pouvoir personnel au profit des « experts » et des « spécialistes ». Non seulement sur les plans politique et économique, mais dans la plupart des sphères de nos vies. Alors que nos ancêtres devaient se débrouiller eux-mêmes pour tout, nous déléguons maintenant la santé aux médecins, l'éducation aux écoles, les déplacements à la voiture, la nourriture aux supermarchés, les contacts aux médias sociaux et les enfants aux écrans et aux garderies. Sous des dehors de liberté et d'individualisme extrêmes, nous ne contrôlons presque plus rien de l'essentiel de nos vies : travail, consommation, environnement immédiat, gouvernement. Tout est largement contrôlé par les « marchés », les investisseurs et la Bourse. Nous leur avons remis les clés de notre existence en leur reconnaissant, avec résignation (« on n'y peut rien ! »), l'autorité ultime sur ce qui est acceptable ou pas.

L'adhésion

C'est cette soumission collective, plus ou moins consciente, volontaire et totale selon les individus, qui donne à l'économie aujourd'hui mondialisée le pouvoir exorbitant qu'elle impose non seulement à nos vies quotidiennes mais aussi aux États, même les plus grands. Quel pays ose encore défier les « agences de notation et de crédit » ? Et pourtant, ces agences n'ont aucun autre pouvoir que celui qu'on leur donne. Tout comme l'argent n'est qu'une affaire de convention et de confiance : le même argent qui est trop rare pour financer la santé aux États-Unis devient subitement illimité quand il s'agit de faire la guerre en Irak ou en Afghanistan, ou de renflouer les banques ou les constructeurs automobiles durant la crise de 2008-2009.

Les compétences et connaissances

Dans un monde sans cesse plus complexe, il est inévitable que le simple citoyen se sente rapidement dépassé ou impuissant. Ce qui fait grandement le jeu du pouvoir, censé avoir, lui, toutes les connaissances et compétences qui nous manquent. Et pourtant, la réalité est le plus souvent toute autre : nos « dirigeants », dans tous les domaines, sont des hommes et des femmes comme nous, avec leurs forces et leurs faiblesses, les nombreuses erreurs (parfois catastrophiques) qu'ils font en offrent régulièrement la preuve. Les économistes, qui maintenant « mènent le monde », ont d'ailleurs un taux de succès moindre dans leurs prévisions que les météorologues! Sans compter que de plus en plus de « spécialistes » ou « d'experts » sont devenus des sortes de mercenaires dont les résultats d'études sont fortement influencés par ceux qui les financent.

Les facteurs intangibles

C'est sans doute la plus importante cause de notre soumission collective : nous « profitons » nous-mêmes de cette situation du monde que nous trouvons par ailleurs souvent inacceptable. Notre « confort » a produit notre « indifférence », pour paraphraser le film de Denys Arcand. Nous avons tous, peu importe notre situation, « quelque chose à perdre » en cas de changement. Dans nos pays « riches et développés », la consommation de masse, la publicité et le « crédit à l'endettement » (qu'on préfère nommer crédit à la consommation) font de nous des esclaves aux chaînes chromées : on ne peut s'imaginer vivre heureux sans tous nos gadgets électroniques, nos biens matériels et nos voyages annuels. Et nous avons beau dénoncer le 1 % de super riches qui s'empiffrent aux dépens des 99 %, nous tenons à ce que nos régimes de retraite et nos placements (pour ceux qui en ont) produisent les meilleurs rendements possibles, même s'il faut pour cela fermer des usines d'ici pour délocaliser la production dans des pays aux législations moins contraignantes! Nous alimentons nous-mêmes la bête qui nous dévore parce que nous ne voulons pas perdre les miettes qu'elle nous laisse.

Les moyens matériels

Contrôlant l'argent, les « gouvernants » disposent de moyens matériels (recherche, spécialistes en communication, médias, publicité, etc.) infiniment plus grands que les « gouvernés ». Surtout qu'il est beaucoup plus facile pour eux de se concerter avec un nombre limité de personnes et d'intérêts que pour nous d'arriver à mobiliser autour d'intérêts communs des foules d'individus et de regroupements. Et pourtant, nous avons une chose qu'ils n'auront jamais : le nombre ! Quand nous parvenons à mobiliser durablement cette force irrépressible, aucun pouvoir ne peut longtemps résister, comme en témoignent d'innombrables combats menés au cours des siècles, tant par des partis politiques que par des regroupements ouvriers ou syndicaux, des mouvements sociaux, des intellectuels, des femmes, etc. : abolition de l'esclavage, institution du parlementarisme remplaçant les monarchies de droit divin, droit de vote pour les femmes, lutte pour les droits civiques aux États-Unis, victoire contre l'apartheid en Afrique du Sud, chute du rideau de fer et du mur de Berlin, etc. Sans compter que les luttes victorieuses ont souvent fait appel bien plus à la créativité, au courage et à la persévérance qu'à l'abondance ou à la sophistication des moyens matériels (comme l'illustre éloquemment la lutte victorieuse des Vietnamiens contre la puissance étatsunienne pendant deux décennies)[3].

---

[3] On aura compris que chacune de ces luttes victorieuses a son histoire propre et que si plusieurs ont été menées, en tout ou en partie, par des moyens nonviolents, d'autres ont eu recours largement (ou même principalement) à la lutte armée. L'objectif, ici, est de montrer l'importance que peut avoir la force du nombre face à la seule puissance des « moyens matériels ». Le débat sur la place respective de la nonviolence (que je privilégie dans toutes les circonstances) et de la violence dans les luttes pour la transformation sociale est trop important et complexe pour être résumé ici en quelques phrases.

Les sanctions

S'il est un domaine où notre « consentement » est essentiel, c'est bien celui des sanctions. Car c'est notre peur (tout à fait compréhensible d'ailleurs) des menaces de sanction qui donne au pouvoir toute son autorité. Les innombrables luttes non-violentes ont maintes fois démontré qu'à partir du moment où les « gouvernés » cessent d'avoir peur des « gouvernants » et de leurs menaces, la victoire est presque certaine. Les luttes (et leur « prix ») peuvent encore durer un certain temps, mais l'issue est inévitable. Le pouvoir ne peut reposer éternellement sur la force. Et moins il y a de gens qui continuent à consentir (soit parce qu'ils pensent avoir encore plus à perdre qu'à gagner au changement, ou parce qu'ils n'ont pas encore réussi à surmonter leur peur), plus vite le pouvoir est renversé.

Chacune des sources du pouvoir dépend donc, pour une large part, de notre propre acceptation. Et pour chacune de ses composantes, nous avons la possibilité de le combattre efficacement. C'est là le sens que je donne aux ruptures que je propose dans ce livre.

DANS NOS PAYS DU NORD

J'écris pour ici. Je parle de ce que je connais le mieux : ma société « avancée » du Québec, semblable par beaucoup d'aspects fondamentaux à la plupart des sociétés occidentales jusqu'à récemment considérées comme riches et prospères.

Mon appel à la rupture concerne ces sociétés caractérisées par la modernité, le développement technologique, les droits individuels et collectifs, un niveau de vie élevé, une démocratie parlementaire et un système de droit. Je ne sais pas ce que je dirais si je vivais dans le « tiers-monde » (qui représente en fait plus des deux tiers du monde !).

Je m'adresse à nous, non seulement parce que c'est ma société, mais aussi parce que notre modèle s'impose de plus en plus comme le modèle universel : nous l'avons exporté largement pour nos propres intérêts, et notre mode de vie est devenu la « norme » qui fait rêver la planète. Et parce que ce modèle est, pour une large part, à la source des problèmes graves et urgents que doit affronter l'humanité. Pour cette raison, si des changements profonds – des ruptures - doivent s'opérer, c'est d'abord ici, dans nos sociétés riches, qu'ils doivent avoir lieu.

Désobéir

Les dernières étapes d'écriture de ce livre se sont faites en plein cœur du conflit étudiant québécois, qu'on a de manière créative baptisé « printemps érable ». Même si l'issue finale de cette contestation sociale profonde n'est pas connue au moment de mettre sous presse, les événements du printemps 2012 ont posé, de manière inédite et significative, la difficile question de la désobéissance aux règles jusqu'ici communes du « vivre ensemble ». Et dans un livre qui propose de ROMPRE, je ne peux évidemment pas éviter ce débat essentiel.

Toute société, comme tout pouvoir, repose depuis toujours sur l'adhésion commune à un certain nombre de règles, de conventions et même d'idéaux. Impossible de vivre ensemble long-temps sans un minimum d'entente sur les feux de circulation, le paiement des impôts ou les règles d'étiquetage des aliments, sans parler des lois qui fondent les parlements, les cours de justice et les forces policières. Je suis un défenseur convaincu du bien commun et celui-ci me semble exiger le partage de règles communes. Pour moi, la collectivité a des droits et des responsabilités, au même titre que les individus.

Que veut donc dire ROMPRE dans un tel contexte ? C'est fondamentalement revendiquer le primat de l'autonomie et de la conscience dans la construction du vivre ensemble. C'est affirmer que le collectif idéal est la construction consciente d'individus autonomes, et non pas la somme abstraite de personnes formatées, passives ou consommatrices. Que le critère ultime de jugement, pour décider entre se conformer et désobéir, doit être la règle du bien commun : telle loi, telle organisation ou telle décision a-t-elle pour but (et pour effet concret) de favoriser le mieux-être de la collectivité ou non ?

ROMPRE ou désobéir sera toujours un geste difficile, exigeant, important. Ce n'est pas une simple passade, et encore moins un caprice. C'est pour cela que cette attitude de conscience citoyenne sera le plus souvent d'abord, dans toute collectivité, le fait d'une minorité agissante. Mais qui ouvre la voie à bien d'autres individus, peu à peu éveillés aux enjeux, encouragés à prendre position, et possiblement à joindre le mouvement. Quant à la *désobéissance civile*, qu'on évoque souvent de manière un peu légère ou simpliste, elle est une chose *distincte*, un pas de plus dans la revendication citoyenne, et un droit fondamental de la conscience dans toute vie en société. Mais elle demeure un outil *ultime* dans l'arsenal des moyens de lutte nonviolents, et ne doit surtout pas être banalisée.

CHAPITRE II

ROMPRE AVEC...

JE NE SUIS PAS, je l'ai dit, un porte-parole des « indignés ». Mais je propose ma lecture des courants souterrains irriguant le mouvement d'indignation qui semble se répandre partout sur la planète : je m'efforce de mettre des mots sur plusieurs des raisons de cette colère qui gronde et qui cherche à s'exprimer pour « un autre monde possible ». Il s'agit bien sûr de ma vision subjective, mais dans laquelle plusieurs pourront, j'en suis sûr, se retrouver en tout ou en partie.

Mon but ici n'est pas de peindre un portrait de tout ce qui pose problème, mais de chercher plutôt à identifier un certain nombre des *racines* des problèmes qui sont les nôtres. Je m'intéresse aux causes de la maladie, même si pour les illustrer je devrai brosser un portrait rapide d'un certain nombre des symptômes.

Quelles sont donc ces forces dominantes ou ces caractéristiques importantes de notre société avec lesquelles je suis convaincu qu'il nous faut

ROMPRE si nous voulons éviter les culs-de-sac vers lesquels nous filons à vive allure ?

* * *

Vous connaissez peut-être le conte d'Andersen, « Les habits neufs de l'empereur », dans lequel seule la naïveté d'un enfant (pas encore déformé ou formaté comme les adultes) lui permet de voir et d'oser dire tout haut que « le roi est nu ». Il est grand temps de retrouver ce regard neuf de l'enfant. Et de *nommer, haut et fort, le réel tel qu'il est,* dépouillé des innombrables couches de justifications, de nuances et de fatalité qu'on y a superposées au fil des années. Souvent en l'emballant dans l'argument de la complexité, ce qui finit de nous dépouiller de tout pouvoir pour nous en remettre aux mains des seuls « experts ».

ROMPRE AVEC L'ARGENT !

L'argent est devenu notre Dieu, l'idole de notre monde. Aucun responsable n'ose prendre quelque décision que ce soit sans l'évaluer d'abord en fonction des coûts et bénéfices. L'argent est devenu omniprésent, contaminant absolument tout, même les domaines les plus « purs » de l'humanitaire, de la solidarité et du *fair play* : la campagne du ruban rose pour le cancer du sein cache une redoutable industrie de la charité, l'aide au développement sert très souvent d'alibi à l'exportation de notre expertise et de nos produits ; et le sport amateur est depuis longtemps profondément vicié par l'influence financière (comme le montrent le récent scandale du football universitaire à Penn State et des Jeux olympiques où publicité et commanditaires ont remplacé l'idéal de fraternité du baron de Coubertin).

Cette pollution par l'argent atteint de plus en plus les domaines traditionnellement considérés comme un patrimoine commun de toute l'humanité. L'eau, l'air et l'espace sont de plus en plus considérés comme de simples marchandises soumises aux seules règles du marché. Cette marchandisation du monde atteint les services publics, l'éducation et la santé, mais aussi la culture, les relations humaines et même le vivant (libre disposition de son corps, brevet sur les gènes, etc.).

Pour beaucoup de jeunes, la réussite matérielle et financière a remplacé, comme principal objectif de vie, la fondation d'une famille ou l'établissement de relations humaines significatives. Et le bonheur est peu à peu devenu, pour un très grand nombre, inséparable de la richesse et du niveau de vie. Ce lien étroit qu'on a réussi à établir entre bonheur et consommation étant d'ailleurs le principal moteur de notre société marchande et de notre croissance économique. Qui oserait encore chercher le bonheur sans « téléphone intelligent » et toute la panoplie, sans cesse en expansion, des gadgets électroniques ?

D'ailleurs l'argent est devenu encore plus insidieux et pervers depuis qu'il s'est dématérialisé. Autrefois, Séraphin comptait son or, caché dans sa chambre. Maintenant, les symboles que sont la monnaie et les billets de banque disparaissent de plus en plus au profit de morceaux de plastique (les cartes de débit ou de crédit), de puces électroniques, de colonnes d'opérations comptables dans des ordinateurs centraux ou de transactions virtuelles rendues possibles par l'informatique. On touche ou voit de moins en moins d'argent réel, et pourtant nos vies n'ont jamais été aussi prisonnières des filets invisibles de l'endettement par le jeu de « produits financiers » de plus en plus complexes et abscons, par lesquels les banquiers ont créé, de toutes pièces, la terrible crise économique de 2008-2009 et pour lesquels ils se sont ensuite payé des bonus aussi considérables qu'indécents !

L'argent, qui n'était au départ qu'un simple instrument d'échange de véritables biens et services, pour plus de commodité, est devenu un objectif en soi : le signe matériel de la réussite, de la richesse et de l'accumulation de celle-ci. De serviteur, l'argent est devenu le maître. Et il impose sa tyrannie dans toutes les sphères de la vie, individuelle et collective. Essayez d'imaginer un monde sans argent ! Sans les agences de notation, les banques centrales, le Fonds monétaire international, et tous ceux et celles qui font la pluie et le beau temps dans les « affaires » du monde. Comme si les pays et les États n'étaient que des enfants ou des marionnettes, soumis aux diktats de forces économiques devenues anonymes et incontrôlables.

Et si on reprenait le contrôle de nos vies ? Et si on pouvait vivre sans argent ou hors de la logique de l'argent ? Impossible ? Allez lire *La mort de l'argent*, de l'anthropologue Denis Blondin[4] : un tel monde existe, et il est plus urgent que jamais !

ROMPRE AVEC LA VITESSE !

L'accélération de la vie a été tout simplement phénoménale. Pendant des dizaines de milliers d'années, l'être humain s'est déplacé à la vitesse de son pas. Il a fallu des millénaires avant qu'il puisse se déplacer à la vitesse du cheval. Il y a moins de deux siècles, suivant l'invention de la machine à vapeur, il a développé le train, puis l'automobile, puis l'avion. En moins de 100 ans, la vitesse de communication a progressé à travers les journaux, le télégraphe, le téléphone, la radio, puis avec la télévision et le télécopieur. Depuis 50 ans, les fusées s'envolent vers l'espace et les satellites arrivent à « faire le tour du monde » en 80 minutes, au lieu des 80 jours de Jules Verne. Et depuis 25 ans à peine, l'informatique fait littéralement exploser la vitesse en permettant la *quasi-instantanéité* : on suit les événements de partout « en temps réel », on communique par courriels, on se rassemble à distance par l'intermédiaire de « Skype » et les transactions commerciales et financières se font désormais en permanence.

---

[4] Ici, comme dans les exemples qui vont suivre, on pourrait me reprocher de ne pas être assez explicite sur les idées qui sont avancées et de laisser le lecteur sur sa faim : l'auteur ne pourrait-il pas donner quelques exemples, résumer les textes auxquels il nous renvoie ? L'objectif, je l'ai dit, n'est pas de convaincre mais de soulever les questions, de mettre en doute pour mettre en route. À chacun de poursuivre sa recherche, sa réflexion et ses pistes de solution.

Les fabuleuses inventions humaines ont réduit la planète à la dimension d'un grand village et elles ont graduellement aboli les distances géographiques et temporelles. Il n'y a plus, pour notre technologie, ni jour, ni nuit, ni fin de semaine, ni calendrier. Tout (et tous!) est désormais accessible « 24 heures sur 24, 7 jours sur 7», à la grandeur du cyberespace. Nos outils permettent désormais des travaux impensables auparavant, parce qu'on a su remplacer l'effort physique par l'énergie des machines, les capacités de calcul du cerveau par celles des ordinateurs, les limites corporelles par les possibilités prodigieuses du virtuel. Avec les désirs et les tentations qu'entraîne cet univers en apparence désormais illimité...

On a seulement oublié une toute petite chose: l'être humain n'a pas véritablement changé, pendant que ses inventions et ses outils démultipliaient ses possibilités... et ses rêves. Il n'a toujours qu'un corps mortel (même si on le connaît mieux et qu'on lui permet de vivre plus longtemps). Il n'a toujours que deux bras et deux jambes, et pas plus de 24 heures dans une journée. De plus, les capacités d'absorption de son cerveau n'ont aucunement suivi l'accélération proprement inhumaine des possibilités de sa technologie. D'où les collisions de plus en plus nombreuses et brutales entre un humain limité et ses moyens apparemment illimités!

Les maladies du travail (épuisement, stress, dépression) ne sont que la pointe de l'iceberg de la nouvelle condition humaine. Les pressions pour être performant (à la mesure de nos outils) sont devenues la règle quasi universelle: le cellulaire et le portable rendent l'employé joignable en tout temps et ont transporté l'univers du travail non seulement à la maison mais souvent même en vacances. Les courriels étant instantanés, on s'attend à une réponse rapide, sinon immédiate. Notre capacité d'attente et de patience s'est sérieusement émoussée : qu'un logiciel mette une minute à se mettre en marche ou une page Internet à s'afficher et on s'arrache les cheveux. Le sentiment d'être submergé ou oppressé par la surabondance des possibilités de choix (de loisirs, de marques d'électroménagers ou de chaînes de télévision) crée une lourdeur et une tension latente que les populations rurales ou moins « nanties » éprouvent généralement beaucoup moins.

Le rythme humain, celui de notre corps comme celui de notre esprit, n'est pas celui de nos machines. L'être humain est partie intégrante de la nature (l'écologie nous l'a fait redécouvrir) et ne peut survivre sans elle ou contre elle. Celle-ci a aussi son rythme : celui des saisons, des années, du temps long. Nulle part, on n'y trouve la course effrénée dans laquelle nos inventions nous ont entraînés. De plus en plus de gens en prennent conscience : il nous faut *ralentir* ! Pour notre propre santé comme pour celle de la planète.

ROMPRE AVEC LA PROPRIÉTÉ !

J'ai été avocat pendant 20 ans. Un avocat « non pratiquant », parce qu'ayant choisi de travailler plutôt en milieu communautaire, mais un avocat connaissant bien les règles de ce qu'on appelle le droit et la justice. Et l'un des fondements même de notre droit civil, c'est précisément la propriété privée. Comment puis-je donc remettre en question cette pierre angulaire de notre droit... et du capitalisme ?

La propriété est foncièrement antisociale, égoïste, excluante et fractionnelle. Elle accapare pour soi (« moi » ou « nous », selon le cas) au détriment des « autres » : ceci m'appartient en propre, et je n'ai de comptes à rendre à personne à son sujet. (On pourrait d'ailleurs s'interroger longuement sur « de quel droit » cela m'appartient-il : mais c'est une question qui déborde du présent cadre.)

La nature, dont l'être humain tire incontestablement son origine, ne connaît pas de telle « propriété ». Elle est le patrimoine commun de toutes les espèces. Certes, certains animaux vont marquer leur « territoire » ; mais c'est un territoire d'usage, plus ou moins permanent, au seul service de la vie et de sa transmission. Et les forces de la nature se chargent d'empêcher toute « possession » stérile, et encore plus toute accumulation ou tout accaparement au détriment du bien collectif (du troupeau, de l'espèce, de l'écosystème).

Et si les divers mythes fondateurs des peuples varient dans leur expression, il semble bien qu'ils placent tous l'être humain soit comme partie prenante (sans supériorité ou pouvoir de domination) de la Création elle-même, soit comme intendant ou jardinier de celle-ci (et dans ce cas, avec un certain « pouvoir » mais sans autorité de possession et encore moins de propriété). L'être humain, par son « intelligence », a certainement une place particulière au sein de la Création. Mais est-il pour autant « au-dessus » de celle-ci ? Chaque fois qu'il a tenté d'agir ainsi, il a été durement rappelé à l'ordre par la nature elle-même, comme le montre bien l'histoire du déclin de différentes civilisations (voir entre autres *Effondrement* de Jared Diamond). Et l'urgence des problèmes écologiques semble bien en être la plus récente illustration.

On justifie souvent la propriété privée par la responsabilité individuelle qu'elle engendre chez son propriétaire. C'est d'ailleurs ainsi qu'on a longtemps discrédité la propriété collective : « ce qui appartient à tous n'appartient à personne » et, par conséquent, personne ne s'en sent vraiment responsable. Sans compter que cela tuerait l'esprit d'initiative et d'entrepreneuriat.

Il y a du vrai à cela. Mais l'être humain a cette capacité magnifique d'évoluer et de savoir se dépasser. Et si la propriété privée a favorisé jusqu'ici l'esprit d'entreprise et la responsabilité individuelle, rien n'interdit de croire que l'intendance ou le « jardinage » de la planète et des biens puisse permettre de développer, peu à peu, un souci du bien commun et une responsabilité tout aussi grande, mais désormais collective. L'esclavage, l'apartheid ou la torture ont très longtemps fait partie de l'organisation et du fonctionnement séculaires de l'humanité (et ils n'ont pas encore complètement disparu, bien qu'ils existent parfois sous des formes nouvelles, il faut bien l'admettre) : et pourtant, l'être humain en est venu à les reconnaître pour ce qu'ils sont, un mal qu'on a choisi de bannir et qu'on essaie collectivement de dépasser. La propriété privée est pour moi du même ordre[5] : une étape de l'histoire humaine qu'on est appelé à dépasser au profit d'une vision collective du bien commun.

ROMPRE AVEC LA GUERRE ET LA VIOLENCE !

Autre illustration de l'histoire humaine : l'être humain aurait, depuis ses origines, fait la guerre et usé de violence. Vrai et faux. Violence et guerre ont certes toujours été présentes, mais elles ont souvent coexisté avec des attitudes différentes pour régler tensions et conflits, qu'on appelle aujourd'hui nonviolence, conciliation ou arbitrage, mais dont l'histoire dominante a curieusement conservé beaucoup moins de traces. Tout comme l'histoire officielle a étrangement gardé bien peu de traces du rôle des femmes : à croire que l'humanité aurait été, pendant des millénaires, composée essentiellement d'hommes ! Ce qui n'est peut-être pas sans lien avec la place qu'occupent la guerre et la violence dans nos manuels d'histoire.

Pourtant, il est indiscutable que notre monde crève aujourd'hui de la guerre et de la violence. D'abord à cause des millions d'êtres humains qui en souffrent chaque année : par les morts et les

---

[5] Encore une fois, on trouvera la réflexion un peu courte : s'agit-il uniquement de la propriété des moyens de production ou de tout objet même d'usage personnel ? La propriété serait-elle plus acceptable si elle était temporaire ? Quels seraient les rapports entre intendance, usage et possession ? Voilà autant de questions qui devraient faire l'objet d'une réflexion commune et qui ne sauraient être tranchées dans le cadre du présent opuscule.

blessés directs, qu'on retrouve de plus en plus chez les populations civiles innocentes plutôt que chez les militaires combattants ; mais aussi par la destruction des infrastructures essentielles d'accès à l'eau, à l'éducation, à la santé. Enfin, plus encore à cause de l'effroyable gaspillage d'argent et de ressources humaines et matérielles qui sont consacrés aux armées de la planète, à la recherche militaire et à la course aux armements. Il se dépense pour cela, chaque année, des sommes colossales et qui augmentent sans cesse. Des sommes beaucoup plus grandes que tout l'argent et les ressources nécessaires pour régler durablement le problème du changement climatique, celui de la faim et de l'accès à l'eau potable pour tous, celui des maladies endémiques qui subsistent dans le monde, etc.

La guerre et la violence sont aussi l'une des conséquences directes de la propriété privée : chacun cherche à défendre *ses* biens et *ses* intérêts particuliers, actuels ou à venir, sans chercher d'abord à voir quel serait l'intérêt ou l'avantage collectif. Réflexe égoïste naturel, sorte de prolongement primitif de l'instinct de survie. Mais réflexe que l'être humain a appris à dépasser, en découvrant l'importance, pour lui-même comme pour le groupe, de la mise en commun des ressources et des habiletés. Ce qui a fait graduellement passer l'humanité du « chacun pour soi » aux diverses formes de collectivités, puis plus récemment à la prise de conscience d'une communauté humaine unique et planétaire.

Et si, encore maintenant, la tentation de la force et de la violence demeure un réflexe bien conditionné et répandu pour régler les conflits, de plus en plus de voix (y compris celles des « indignés » un peu partout dans le monde) s'élèvent pour revendiquer la nonviolence et une autre manière d'assurer la sécurité et de faire face aux inévitables confrontations d'intérêts divergents. Les objecteurs de conscience, qui tout au long de l'histoire ont refusé, à leur propre péril, de porter les armes ou de participer à la guerre, se sont transformés en objecteurs de conscience fiscaux (refusant de payer la partie militaire de leurs impôts qui permet que d'autres aillent faire la guerre à leur place et en leur nom) et en militants de la nonviolence développant les outils de la médiation, de l'intervention civile de prévention, de la communication nonviolente, etc.

Un monde sans armées est possible, comme en témoignent les quelques trop rares pays qui ont choisi cette voie jusqu'ici. Le désarmement des États est possible, comme en attestent les efforts, jusqu'à présent trop limités et fragiles mais néanmoins réels, des négociations nucléaires entre les « deux Grands » et les diverses puissances nucléaires. L'absurdité de la guerre est plus éclatante que jamais : les États-Unis dépensent à des fins militaires, à eux seuls, presque autant que l'ensemble de *tous* les autres pays du monde (43 % du total mondial et six fois plus que la Chine, son plus proche rival) ! Et pourtant, cela n'a pas empêché les événements du 11 Septembre. Ni les catastrophes que continuent d'être les interventions en Irak et en Afghanistan, pour ne parler que des plus récentes. Sans parler du conflit israélo-palestinien qui pourrit depuis plus de 60 ans et qui empoisonne littéralement les relations internationales dans tout le Moyen-Orient, si ce n'est dans le monde.

Renoncer à la force des armes pour construire un autre monde semble relever, pour l'instant, de la plus folle utopie. Et pourtant, c'est une utopie dont la réalisation est plus urgente et possible que jamais : urgente parce que les ressources presque inimaginables qu'on y consacre chaque année sont requises, dès maintenant, pour assurer la survie de la planète (lutte contre le changement climatique, remplacement des énergies fossiles, etc.) ; et possible parce que les progrès de la nonviolence, au cours des deux derniers siècles, ont été plus rapides et efficaces que jamais auparavant et ont joué un rôle non négligeable dans de nombreux conflits (des Thoreau et Tolstoï aux Gandhi, Martin Luther King et autres Aung San Suu Kyi). Quand même un éditorialiste de *La Presse* croit la chose possible, c'est que le sujet n'est peut-être plus aussi farfelu qu'on le pensait[6] !

ROMPRE AVEC L'ACCEPTATION DE... L'INACCEPTABLE !

Nous vivons dans un drôle de monde : bien des choses qui nous semblent « aller de soi » paraîtraient absolument absurdes à des observateurs venus de l'extérieur, comme le montre de manière humoristique et poétique le film *La belle verte* de

---

[6] Mario Roy, « La guerre ? No sir... », *La Presse*, 3 janvier 2012, se basant sur les thèses de Joshua Goldstein et Steven Pinker.

Coline Serreau. Comme si nous n'étions plus capables d'avoir le recul nécessaire pour voir notre monde tel qu'il est vraiment.

Voici, en vrac, un certain nombre d'exemples de ces situations inacceptables, puisés dans des domaines très divers...

Près d'un milliard d'humains (une personne sur sept) n'ont pas encore ACCÈS À L'EAU POTABLE, plus de deux milliards et demi (une personne sur trois) n'ont pas encore accès à des installations sanitaires de base et environ deux millions de personnes (soit l'équivalent de la grande région de Montréal) meurent chaque année de maladies liées au manque d'eau potable. Dans un monde pourtant capable d'aller sur la Lune et d'en revenir, de suivre en direct ce qui se passe partout sur la planète et de décoder le génome humain. Est-ce une situation tolérable ?

Pendant que plus d'un milliard de personnes, hommes, femmes et enfants comme vous et moi, ont faim chaque jour et qu'un enfant meurt de faim toutes les 6 secondes, entre 25 % et 50 % de la nourriture produite sur la Terre est jetée à une étape ou l'autre avant sa consommation, sans compter la quantité de céréales qui est maintenant détournée de l'ALIMENTATION HUMAINE pour alimenter plutôt les moteurs de nos automobiles (biocarburant) ! Et ce n'est pas seulement un problème de distribution alimentaire entre les pays et les continents. Ici même, en Amérique, il est possible de se nourrir très convenablement et de manière équilibrée uniquement avec la nourriture jetée dans les poubelles : le mouvement *freegan*, ou déchétarien, en fait un peu partout la démonstration. Combien de temps encore continuerons-nous à fermer les yeux?

Il y a actuellement plus de 10 millions de RÉFUGIÉS PALESTINIENS, faisant d'eux la plus grande population de réfugiés au monde. Près de la moitié sont concentrés dans les pays limitrophes du Moyen-Orient et environ un million et demi d'entre eux sont parqués dans des camps des Nations Unies. Cette situation temporaire dure depuis... 1948! Et elle empoisonne toute possibilité de paix dans la région (comme en témoignent plusieurs guerres menées en Jordanie, au Liban et ailleurs), de même que les relations internationales entre l'Occident et les pays arabes. Les Nations Unies ont maintes fois condamné le comportement d'Israël en vertu du droit international : à chaque fois, les États-Unis se sont rangés du côté d'Israël. Combien de temps encore tolérerons-nous cette hypocrisie du « deux poids, deux mesures »[7]?

Notre système économique a besoin de produire et de vendre toujours plus, peu importe quoi, pour assurer son fonctionnement et sa croissance. D'où L'INVENTION DU CRÉDIT, pour permettre à ceux qui n'en ont pas les moyens de pouvoir quand même faire « leur part » pour la croissance. Alors qu'autrefois, on étudiait soigneusement votre capacité de rembourser avant de vous prêter, les institutions financières courent

---

[7] Évidemment, il y a bien d'autres situations internationales où on pourrait dénoncer le « deux poids, deux mesures » : j'ai choisi celle-là uniquement parce qu'elle porte sur une situation massive de réfugiés, la seule au monde qui soit devenue « chronique » et jusqu'à nouvel ordre, « permanente ».

maintenant après n'importe qui ou presque, des écoles aux centres d'achat en passant par les stations de métro, pour vous offrir des cartes de crédit : « Achetez maintenant et ne payez pas avant... » ! Si bien que le Canadien ou Québécois moyen doit maintenant déjà plus de 150 % de son chèque de paye au moment où il le reçoit ! Avec une telle fuite en avant soigneusement mise en place, comment s'étonner des « crises » économiques ?

Nos choix politiques et économiques sont largement influencés par les cadres d'analyse et les outils de mesure que nous développons. Or, jusqu'à tout récemment, le seul outil de mesure utilisé pour comparer la richesse des pays était le Produit intérieur brut (PIB). Celui-ci a été établi pour mesurer tout ce qui entraîne des échanges monétaires. En conséquence, tout ce qui est « gratuit », aussi valable soit-il pour l'être humain et pour la société (comme le travail des parents à la maison, l'implication bénévole dans la communauté, etc.), n'entre pas dans le calcul du PIB, et donc ne fait pas partie de la « richesse » d'une collectivité. Par contre, les guerres, les divorces, les catastrophes écologiques, les accidents de la route (surtout s'ils ne sont pas mortels), sont extrêmement valables pour enrichir le PIB et donc pour la croissance de notre économie. Car tout ce qui est détruit nécessite de nouvelles dépenses, en biens ou en services, et c'est pourquoi un grand blessé contribue bien davantage au PIB qu'un mort qu'il suffit d'ensevelir une fois pour toutes. Pas étonnant qu'avec de tels outils de mesures économiques, on s'intéresse plus à la quantité qu'à la qualité, ou même qu'à la simple utilité d'un produit ou d'un service! On commence à peine à reconnaître l'absurdité de la situation et à développer de nouveaux outils qui tiennent davantage compte de l'utilité ou de la nuisance sociale d'une dépense avant d'en faire un indice de « richesse » ou de « croissance ».

Après des décennies de batailles féministes et diverses mesures « d'équité salariale », même dans les pays les plus « avancés », le salaire des femmes est encore de quelques dizaines de points de pourcentage inférieur à celui des hommes. LE POUVOIR DES FEMMES, dans les diverses sociétés, est encore largement inférieur ou minoré par rapport à celui des hommes. Dans les gouvernements, les entreprises ou les Églises, les femmes occupent beaucoup plus les postes subalternes que les postes d'autorité. Les seuls domaines où les femmes sont généralement majoritaires (souvent sans en avoir les pouvoirs décisionnels correspondants) sont ceux du soin des personnes, de la naissance à la mort : alimentation, santé, éducation, soins affectifs, accompagnement des personnes. Comment peut-on tolérer encore pareille injustice structurelle face à la moitié de l'humanité ?

Nous savons depuis longtemps que la prévention, en matière de santé, est infiniment moins coûteuse pour toute société que le soin des maladies ou le traitement des accidents. Or malgré cette connaissance et les coûts astronomiques de leurs systèmes médicaux, nos gouvernements s'entêtent à dépenser toujours plus chaque année POUR LA MALADIE PLUTÔT QUE pour LA SANTÉ.

Car payer des médecins en fonction de la santé de leurs patients ne serait pas payant pour le médecin. C'est un tabou terrible que celui du monopole médical. Je ne veux pas généraliser, puisque de nombreux médecins (généralistes et spécialistes confondus) sont conscients de ces enjeux, mais il demeure indiscutable que leur pouvoir, au détriment du reste du personnel soignant, explique en grande partie la primauté du curatif sur le préventif, les querelles dans les centres hospitaliers et une part non négligeable de l'explosion des coûts dans les soins de santé (avec l'inflation de la médicamentation et la surspécialisation des traitements, qui sont d'autres conséquences de cette préséance donnée au curatif).

Pendant des décennies, seuls les « cinq Grands » possédaient L'ARME NUCLÉAIRE, et seuls les États-Unis et l'URSS étaient engagés dans une véritable course aux armements. À tel point qu'au sommet de la guerre froide, chacun des deux protagonistes possédait de quoi détruire plusieurs fois la planète ! Absurdité et gaspillage éhonté de ressources qu'on justifiait par la stratégie militaire de la « destruction mutuelle assurée » (mieux nommée sous son acronyme anglais MAD). Plus on avait d'armes nucléaires, et moins on risquait de s'en servir ! Depuis, avec cette sagesse militaire à toute épreuve (!), on a assisté parallèlement à des efforts considérables de diplomatie pour tenter de réduire ces stocks d'armes de destruction massive (on peut se demander à quoi aura bien pu servir de les construire, de les stocker, puis de les détruire, sinon précisément à nourrir le PIB) et à la prolifération inquiétante des mêmes armes nucléaires chez un certain nombre de « moins Grands » : Inde, Pakistan, Israël et Corée du Nord. Comment peut-on encore tolérer autre chose que l'interdiction totale et absolue de toute arme nucléaire ?

Au niveau planétaire, 10 % des humains contrôlent maintenant 85 % de toutes les richesses, tandis que les 50 % les moins riches en contrôlent à peine 1 %. En 2005, les trois individus les plus riches du monde avaient à eux seuls des avoirs plus importants que les 47 pays ayant le PIB le plus bas mis ensemble. De plus, on l'a vu tout récemment, LES INÉGALITÉS ENTRE RICHES ET PAUVRES sont en croissance partout, selon une étude de l'OCDE, et ce n'est pas sans raison que le slogan des « Occupants de Wall Street » s'est répandu comme une traînée de poudre : « Nous sommes les 99 %. » La crise économique de 2008-2009 a montré, plus clairement que jamais, que les banques (« *too big to fail* ») sont plus importantes que les États et leurs citoyens et que les milliards qui n'existent pas quand c'est pour la santé ou l'éducation apparaissent du jour au lendemain pour éviter la faillite du système financier. Jusqu'à quand accepterons-nous que les écoles soient obligées d'organiser des bazars pour se financer pendant que les banquiers qui nous ont mis en faillite se payent des bonus indécents à même les subventions publiques ?

Et je pourrais continuer longtemps cette liste interminable de situations proprement inacceptables que l'on en est venu à accepter peu à peu, comme dans l'histoire de la grenouille placée dans un bol d'eau qu'on chauffe graduellement : au début, la sensation de chaleur est plutôt agréable et rien ne justifie de réagir ; puis on s'engourdit lentement à son insu ; et quand l'eau est devenue dangereusement bouillante, on n'est tout simplement plus en mesure de bondir hors du bol pour s'arracher au danger. Comme la grenouille qui serait plongée directement dans l'eau trop chaude, nous serions sans doute capables, avec un peu de recul, de réagir et de voir à quel point bien des situations dans lesquelles nous nageons depuis trop longtemps sont, en fait, proprement intolérables. Mais comme nous y avons mijoté lentement, sans y prendre garde, nous nous sommes habitués à l'inacceptable à tel point que bien souvent, nous ne le voyons même plus. Dans le meilleur des cas, même quand nous en sommes conscients, nous ne savons pas comment nous pourrions faire autrement.

ROMPRE AVEC LA FACILITÉ !

L'histoire de l'humanité est une longue et patiente recherche pour rendre la vie plus facile et plus heureuse : la découverte du feu, le développement de la vie collective, la sédentarisation et l'agriculture, l'invention de la roue, de l'imprimerie, du moteur à explosion et maintenant de l'informatique, tout cela a permis aux humains de survivre plus facilement et plus nombreux, de vivre mieux et de dépenser pour cela moins d'énergie physique (« d'huile de bras »). Parallèlement à ces inventions techniques, l'être humain a aussi poursuivi sa quête de sens, débouchant entre autres sur la philosophie, la religion et la culture. Personne ne pourrait raisonnablement y trouver à redire.

Mais cette prodigieuse capacité de l'humain à développer des outils qui le prolongent pose de plus en plus de problèmes. À force de se faciliter la vie, ce qui en soi n'est pas négatif, l'être humain en est venu à perdre peu à peu sa capacité à faire face à l'effort et à la difficulté, ce qui est un désavantage sérieux. À une époque encore pas si lointaine, le travail physique était la norme et tout le monde apprenait assez jeune à faire face à l'adversité : la médecine était encore peu développée et accessible, l'instruction secondaire et universitaire était payante et donc réservée à une minorité, on commençait à travailler tôt pour aider à faire vivre des familles nombreuses, etc.

De nos jours, non seulement le niveau et l'espérance de vie ont considérablement augmenté pour tous, y compris les plus pauvres, mais l'État assume une bonne partie des besoins de base (gratuité du système de soins et de l'éducation pré-universitaire, systèmes de sécurité sociale et de protections diverses, même si tous ces « acquis » sociaux sont de plus en plus fragiles et graduellement érodés). Mais plus fondamentalement encore, la technologie a fait en sorte que les efforts (aussi bien intellectuels que physiques) sont de moins en moins nécessaires : le travail « physique » a été carrément remplacé par les « machines » (tondre le gazon, faire le lavage, ramasser les feuilles mortes, creuser une tranchée, transporter du bois, etc.) et le travail intellectuel a lui aussi été de plus en plus délégué aux nouvelles technologies informatiques (de moins en moins de gens savent encore faire des calculs de base depuis qu'on a les « calculettes »; connaître les règles de grammaire ou se servir d'un dictionnaire a été remplacé par les logiciels informatiques; faire une recherche à la bibliothèque a cédé la place à une requête sur Internet; même lire un livre est graduellement confié à une « liseuse »[8]).

Nos enfants sont nés avec des appareils (je me retiens pour ne pas utiliser le mot « gadget ») électroniques dans les mains, ils apprennent à « pitonner » bien avant d'écrire, et sans doute même bientôt avant de parler ! Et je n'exagère même pas ! Comme la caractéristique commune de toutes ces merveilles, c'est de répondre instantanément à la simple pression d'un bouton, la vie devient automatique et facile. Un grand nombre des aptitudes humaines patiemment développées au cours des millénaires d'évolution (force et dextérité physique, résistance du système immunitaire, patience et courage, résilience et ingéniosité, collaboration collective, etc.) risquent d'être peu à peu sapées faute d'être mises à contribution. L'exemple le plus manifeste d'une telle évolution est l'épidémie massive d'embonpoint qu'on rencontre dans la plupart des pays développés et qui est directement liée à l'évolution d'une alimentation de plus en plus industrialisée couplée avec une dépense d'énergie de plus en plus réduite à cause de la sédentarité (loisirs

---

[8] Je sais, il faut encore lire... la « liseuse » ! Mais ce n'est qu'une question de temps, fiez-vous à nos « développeurs » !

devant des écrans et mobilité passive grâce au transport motorisé).

Or une société ne se construit pas avec des iPads ou de la télévision 3D. Les problèmes individuels et collectifs ne se résolvent pas par la multiplication des amis Facebook ou des applications pour téléphones « intelligents ». Pour changer le monde comme pour donner du sens à sa vie, il faut se mettre à plusieurs, rencontrer d'autres personnes, dépasser les velléités ou les possibles virtuels pour s'engager dans des actions concrètes et limitées, faire des efforts et y mettre du temps et de la sueur. Toutes choses auxquelles il faut bien admettre que nos technologies de pointe ne nous préparent guère.

Les réseaux sociaux, rendus possibles par cette technologie, ont sans doute facilité les mobilisations et les regroupements qui ont conduit au « Printemps arabe ». Mais en définitive, ce sont la mobilisation et les regroupements eux-mêmes, soutenus par le courage des individus et la persévérance des engagements, qui ont forcé les changements obtenus jusqu'ici, et non pas les moyens électroniques et la facilité qu'ils permettent.

Rien ne remplacera jamais « le sang, le labeur, les larmes et la sueur » qui étaient tout ce que Churchill avait à offrir à ses compatriotes au seuil de la « grande bataille » qui l'attendait quand on lui confia le pouvoir en Grande-Bretagne en mai 1940. Je remplacerais personnellement « le sang », étant résolument nonviolent et pacifiste, même si renoncer à verser le sang des autres ne dispense pas toujours d'avoir à verser le sien.

Mais l'engagement et l'effort que supposent « le labeur, les larmes et la sueur » ne seront jamais épargnés à ceux et celles qui veulent construire un « autre monde possible », qui soit plus juste. Ce sont là des qualités qu'il nous faut réapprendre.

ROMPRE AVEC LA LIBERTÉ (MAL COMPRISE)!

S'il est une chose qu'une grande partie de la planète nous envie, c'est bien la liberté! Comment oser remettre en question cette longue et patiente conquête de l'humanité : « liberté, égalité, fraternité »?

Ce n'est pas de la liberté que notre monde souffre ; c'est des dérives qu'a peu à peu connues cette valeur fondamentale. Car la liberté, individuelle et collective, n'est ni un en soi, ni un absolu. Elle se vit toujours et inévitablement dans un contexte relationnel. On dit souvent que « ma liberté s'arrête là où commence celle de l'autre ». Cela n'a de sens que si l'autre et sa liberté sont aussi importants que moi et la mienne. La liberté socialement authentique ne peut reposer que sur une forme d'égalité entre les libertés individuelles. Sinon, ce sera toujours la liberté du plus fort qui dominera. Et cela est encore plus vrai dans un contexte capitaliste centré sur l'individu, la propriété et la compétition (« la loi du plus fort »).

Dans une telle société, rien n'est plus illusoire que la liberté formelle dont chaque personne disposerait et qui fait d'ailleurs partie du mythe fondateur de l'Amérique : tout individu, même le plus modeste, peut devenir président des États-Unis ; comme tout le monde peut également publier son propre journal. Le (petit) problème, c'est qu'il faut bien des millions de dollars pour l'un et l'autre et que la plupart des gens ne les ont pas ! Certes, « tous les êtres humains naissent libres et égaux en dignité et en droits » (article 1 de la *Déclaration universelle des droits de l'homme*). Mais, comme chacun le constate chaque jour, de la Déclaration à la réalité il y a une distance qui permet à certains d'être plus « libres et égaux » que d'autres.

De plus, la liberté et les droits *individuels* se sont nettement plus développés dans les sociétés occidentales capitalistes que la liberté et les droits *collectifs*. Tout comme l'engouement pour les droits a peu à peu obscurci la contrepartie inévitable des responsabilités. Comme si tous les droits étaient à nous (ou aux individus) et que toutes les responsabilités conséquentes incombaient aux autres (ou au collectif, à l'État). Sans compter les mentalités légalistes et cupides qui en ont découlé dans certaines sociétés (particulièrement dans les sociétés de tradition anglo-saxonne) et qui poussent les individus à monnayer chèrement leurs « droits » devant les tribunaux chaque fois que cela est possible. Si bien qu'on en arrive à une liberté qui est revendiquée essentiellement pour justifier les intérêts privés, et non plus formulée comme une exigence collective permettant aux personnes et aux sociétés de s'autodéterminer.

Dans un tel cas, la liberté ne sert plus les intérêts du monde et du bien commun mais sert au contraire de fondement aux forces destructrices que peuvent devenir l'individualisme conforté par la propriété privée et la recherche du profit personnel.

ROMPRE AVEC L'INDIVIDUALISME !

C'est une évidence partout en Occident : l'individu est devenu le centre de l'attention. Si certaines sociétés continuent encore de privilégier le groupe et de faire passer les intérêts de la collectivité avant ceux de l'individu, la modernité et la société marchande font inexorablement leur œuvre d'individualisation. Depuis la *Déclaration universelle des droits de l'homme*, chaque personne naît égale en droit et en dignité et devrait idéalement pouvoir s'épanouir pour atteindre son plein potentiel individuel au bénéfice de la collectivité. Là encore, rien à redire !

Mais cette prise en compte positive des intérêts et des besoins individuels a peu à peu dérivé vers les excès que l'on connaît actuellement, encouragés et exacerbés par les intérêts de l'économie marchande. Car si l'épanouissement individuel est un objectif valable, celui-ci ne peut se vivre durablement au détriment de l'intérêt collectif : l'individu ne peut s'épanouir vraiment qu'en relation avec les autres ; et quand les intérêts individuels s'isolent des besoins collectifs, c'est l'ensemble des individus qui en paie durement le prix (comme on l'a vu lors de la récente crise économique mondiale).

Or l'individualisation du monde (positive) s'est développée de plus en plus en individualisme (ambivalent) et plus particulièrement sous sa forme égoïste (négative). En effet, en privilégiant la satisfaction des besoins de chacun, la société occidentale, aiguillonnée en cela par les intérêts de la « propriété privée », a eu tendance à négliger les besoins collectifs et à encourager une mentalité individualiste : chacun pour soi.

Et l'économie marchande a trouvé profitable d'exacerber cette tendance : quand chaque individu peut ou doit consommer individuellement, les biens et services nécessaires (et leur vente) sont multipliés d'autant. C'est ce qui explique l'individualisation croissante de la satisfaction des désirs et des besoins (« sur mesure ») : chacun peut désormais écouter l'émission ou le canal de télévision qu'il préfère 24 heures par jour, comme chacun peut disposer de son propre ordinateur ou de sa propre console de jeu, de sa propre discothèque ou maintenant de sa propre bibliothèque dans la paume de sa main. Finies ou presque les soirées familiales ou entre amis, où tout le monde était réuni au salon pour regarder (et commenter) un même match ou une même émission. Comme sont de plus en plus rares les repas pris en commun, où on prend le temps d'échanger des nouvelles ou de refaire le monde. Comme sont en perte de vitesse les occasions de rassemblement, que ce soit pour le conseil municipal, l'assemblée de parents à l'école, les réunions syndicales au travail ou la rencontre hebdomadaire de la communauté ecclésiale. Délitant peu à peu toute cohésion sociale, défaisant une à une les mailles du tissu que forment les individus d'une société.

Bien sûr, tous ceux qui détiennent un pouvoir quelconque (économique, politique, culturel ou religieux) sont enchantés de voir les individus se replier sur la satisfaction de leurs propres intérêts ! Car il n'y a pas de manière plus efficace de « diviser pour régner ». Rien de plus dangereux, pour un pouvoir, que des personnes rassemblées autour d'une cause commune. On l'a bien vu, récemment, avec le phénomène des « Indignés » un peu partout sur la planète.

Et c'est pourquoi l'une des priorités absolues de tout désir de changement est de favoriser ce qui contribue à refaire du « tissu social », à rassembler des personnes, à regrouper les individus. Car même « consommer » ensemble, être « spectateurs » ensemble, est un progrès sur la situation actuelle. Bien sûr, l'objectif est éventuellement de sortir de la consommation passive, de devenir de véritables acteurs de nos vies individuelles et collectives. Mais tout ce qui fait passer de l'individu au groupe est déjà un pas dans la bonne direction.

ROMPRE AVEC LA COMPÉTITION !

L'humain a depuis toujours été en compétition pour sa survie : ce qu'on a appelé longtemps « la loi du plus fort ». Mais il a très tôt appris l'avantage de la coopération, aussi bien pour le partage des tâches que pour la mise en commun des habiletés de chacun, dans les stratégies de chasse par exemple. Plus tard, avec la sédentarisation et l'agriculture, la coopération est devenue encore plus nécessaire au sein de la cohabitation. De nos jours, avec ce qu'on appelle la mondialisation, la collaboration est d'autant plus indispensable : peu de problèmes et de défis importants peuvent être affrontés et résolus autrement qu'ensemble, au niveau international et planétaire.

Pourtant, notre monde économique repose encore essentiellement sur la compétition (ce qu'on nomme pudiquement la « compétitivité ») et une compétition devenue de plus en plus « sauvage » parce que déréglementée. La réglementation nécessaire des forces économiques, expérimentée avec succès en réponse à la « grande Crise » de 1929, a graduellement disparu à partir des années 1980 de Reagan et Thatcher. Si bien qu'on en est presque revenus, sous des dehors beaucoup plus complexes (dont les fameux accords économiques favorisant le libre-échange et l'Organisation mondiale du commerce), à la loi du Far West : sois le plus gros, le plus fort, le plus rapide ou le plus performant, sous peine de crever ou d'être racheté !

La coopération, dans le monde économique, n'est pratiquée « qu'entre nous » pour pouvoir rivaliser avec « les autres » (comme dans les Caisses populaires Desjardins, afin de pouvoir tenir tête aux banques privées). L'idée même qu'on puisse travailler ensemble pour un meilleur résultat commun est absolument étrangère, voire hérétique, au capitalisme. Les consortiums n'ont de raison d'être que pour affronter les autres consortiums et ultimement les vaincre dans l'obtention des contrats soumis à la compétition des appels d'offres.

Cette compétition sans limite a généralement été justifiée, sur le plan économique, comme le moteur idéal pour l'innovation, la productivité et les meilleurs prix et services (les allégations ayant mené à la mise sur pied de la commission d'enquête Charbonneau sur la collusion dans le domaine de la construction au Québec montrent cependant les limites et les dérives de cette compétition du « marché » capitaliste). Tout comme l'écart (grandissant) des revenus et salaires se justifiait comme le meilleur incitatif au travail et à la performance. À croire que l'être humain ne pourrait répondre qu'à ses intérêts personnels, mesurés uniquement par l'argent et les gratifications matérielles.

Tant que notre monde économique sera basé sur cette loi de la jungle (manger l'autre avant d'être mangé), il sera certes « efficace » et produira de la « croissance » quantitative, mais il laissera le plus grand nombre sur les bas-côtés de la route du « progrès » et, surtout, il échouera dans sa quête de sens et foncera directement dans le mur des « limites » humaines et planétaires.

L'émulation, entre les individus comme entre les collectivités, aura toujours sa place précieuse dans l'aventure humaine. Mais il est urgent qu'elle remplace la compétition comme incitatif et moteur de l'économie. Une émulation qui, contrairement à la compétition, est parfaitement compatible avec la coopération, et donc avec la recherche du bien commun.

ROMPRE AVEC LE « TOUJOURS PLUS » !

Quand l'humain a pu avoir un steak, il en a désiré un deuxième. Quand il a pu se construire une maison, il en a voulu une plus grande. Quand il a pu rouler en automobile, il a rêvé d'en avoir une plus puissante. La satiété, ce sentiment d'en avoir « assez », n'est pas une réaction spontanée chez l'être humain[9]. Même si elle devient une qualité de plus en plus urgente et indispensable pour notre avenir collectif. Jusqu'à quand en voudrons-nous « toujours plus » ?

C'est le philosophe grec Aristote qui disait, il y a plus de 2 500 ans, que « les désirs humains sont insatiables » ! Ce qui était hier un « luxe » est aujourd'hui tout à fait « ordinaire » avant de devenir demain complètement « dépassé » ! Quand on a réussi à escalader l'Everest avec un sherpa, on veut réussir à l'escalader sans sherpa, puis sans oxygène, puis par une « face » encore plus difficile, etc. Il n'est pas dans la nature spontanée de l'être humain de s'arrêter, ou de se contenter de ce qu'il a déjà obtenu ou accompli. Même si c'est très souvent là le secret de la sagesse !

Alors l'humain continue d'avancer, repousse sans cesse plus loin les limites. Et avec l'augmentation du nombre des humains et les progrès de la science et des technologies, l'accélération des découvertes… s'accélère ! « Plus vite, plus haut, plus fort », comme le dit si bien la devise olympique. Toujours plus vite, plus haut, plus fort. Sans limite.

Mais la Terre est limitée. Les ressources planétaires sont limitées. Nos journées sont limitées.

---

[9] J'admets que le débat sur la « nature humaine » reste ouvert. Il existe, de fait, certaines sociétés ou cultures où la modération et l'équilibre avec la nature environnante sont (ou ont été) beaucoup plus présents qu'en Occident. Ce qui ne fait guère de doute cependant, c'est que ceux et celles à qui je m'adresse (« notre société ») sont profondément marqués par une culture du « toujours plus ».

La vie humaine elle-même est limitée (même si on a considérablement repoussé cette limite au cours des deux derniers siècles). Si bien qu'on se heurtera toujours, fatalement, à une limite quelconque, quels que soient nos désirs illimités.

Et d'ici là, nous crevons souvent de nos ambitions démesurées : la planète ne peut supporter durablement notre niveau de consommation des ressources ; nos vies s'épuisent à courir après des bonheurs toujours plus inaccessibles ; le système économique mondial s'étouffe d'avoir laissé pousser trop loin l'avidité sans borne d'individus sans scrupules ; nos sociétés se délitent dans le cynisme et l'impuissance face à des défis collectifs abandonnés aux « experts ».

Quand découvrirons-nous enfin les bienfaits du « juste assez » ?

ROMPRE AVEC LA (SUR)CONSOMMATION !

Je n'apprendrai rien à personne en affirmant que nous vivons dans une société de consommation. Non seulement dans les pays « riches », mais de plus en plus partout dans le monde (avec les pays dits « émergents », les nouvelles puissances économiques comme la Chine, l'Inde, la Russie, le Brésil, etc.). Sans compter que même dans les pays les plus pauvres, le modèle qu'on cherche à copier est celui de notre surconsommation.

Si la richesse se mesure par le niveau de vie ou par la consommation de biens et de services, nous serions environ cinq fois plus « riches » que nos grands-parents ou arrière-grands-parents ne l'étaient au début du XXe siècle. Et si le bonheur va de pair avec la richesse, comme la plus grande partie de la publicité cherche à nous le faire croire, nous devrions donc être environ cinq fois plus heureux qu'il y a cent ans. Et pourtant, les taux de dépressions sévères, d'épuisement professionnel au travail ou de suicides n'ont jamais été aussi élevés dans l'histoire ! Les taux de cancer, de diabète et de maladies cardiaques augmentent en même temps que le niveau de vie s'élève (ce n'est pas pour rien qu'on les appelle des « maladies de civilisation » !). Et ce n'est pas un hasard si c'est surtout dans les pays riches qu'on redécouvre les bienfaits de la simplicité volontaire.

Plus clairement que jamais, l'argent (et la consommation de biens matériels) ne fait pas le bonheur : ce n'est pas une découverte, mais la preuve en est chaque jour plus manifeste. Pourtant, notre système économique marchand s'est développé d'une manière telle que la plus grande partie de la population continue de fonctionner comme si c'était le cas : on continue d'acheter sans répit, sans se soucier de nos besoins réels ni de notre capacité de payer. Toutes les occasions sont bonnes pour stimuler la vente et l'achat : les moindres prétextes du calendrier ont été transformés en fêtes commerciales (Noël, bien sûr, mais aussi Pâques, la Saint-Valentin, la fête des Mères ou des Pères, l'Action de grâce, l'Halloween, etc.). Et les blitz de magasinage du *Black Friday* (lendemain de la Thanksgiving américaine) ou du *Boxing Day* (lendemain de Noël) se prolongent maintenant souvent sur quelques jours ou même semaines, tout en faisant des émules comme le *Cyber Monday* (sorte de *Black Friday* pour les achats par Internet) !

On a dépensé près de 500 milliards de dollars en publicité dans le monde en 2011, pour nous convaincre que nous serions mieux, ou plus heureux, si nous achetions telle ou telle chose : des automobiles, de la bière, du shampoing, des jeux électroniques, des vêtements griffés, etc. L'industrie de la publicité est à bien des égards pornographique. Et je ne parle pas ici de sa propension à utiliser le corps de la femme ou la sexualité pour vendre ses produits ; j'utilise volontairement le mot au sens étymologique de « qui décrit la prostitution ». La publicité est prête à beaucoup (sinon à presque tout) pour vendre n'importe quoi. Elle n'hésite pas à maquiller la vérité pour la modeler à son avantage. Et les entreprises ne gaspilleraient évidemment pas de telles sommes si la publicité n'avait pas démontré son efficacité. Bref, nous acceptons d'être chaque jour bombardés de milliers de messages qui nous conditionnent, d'incitations à dépenser ou de déformations de la réalité. Et ce véritable « lavage de cerveau », que nous sommes les premiers à dénoncer quand il est utilisé pour consolider des régimes totalitaires, nous semble tout à fait naturel quand il sert à renforcer le système capitaliste !

Une autre précieuse invention de notre société marchande est d'ailleurs la mode (comme toutes les formes de fabrication artificielle du consensus). Comme l'écrivain et ancien publicitaire Frédéric Beigbeder le montre bien dans son roman *99 F* (devenu *14,99 €*), la mode est essentiellement le mécanisme par lequel les besoins créés pour hier sont rendus obsolètes aujourd'hui : ce qui était à la mode (et donc puissamment désirable) hier a été artificiellement remplacé par ce qui est à la mode aujourd'hui. Ce qui n'a de sens que pour faire tourner sans fin (et largement « à vide ») la machine économique. La même chose est d'ailleurs vraie pour tous les engouements provoqués artificiellement autour d'une nouvelle star, d'un nouveau film, d'une nouvelle tendance... et même d'une nouvelle de l'actualité ! On se passionne pendant des heures, des jours ou des semaines pour le mariage de Kate et William, la saga des 33 mineurs chiliens ou le congédiement du dernier entraîneur des Canadiens de Montréal. Mais, comme toutes les modes, chaque nouvelle est rapidement chassée par la suivante, au principal profit du diffuseur (journal, réseau de télévision et maintenant plates-formes Internet).

Les grandes entreprises (de plus en plus des conglomérats), les innovateurs et les spéculateurs astucieux, et surtout les empires financiers qui se sont peu à peu imposés comme les vrais maîtres du monde en profitent largement. Les richesses n'ont jamais été aussi abondantes dans le monde et les riches n'ont jamais été aussi riches... et (relativement) peu nombreux. Pendant ce temps, les États en pâtissent (crise de la dette), semblent de plus en plus impuissants (face aux « agences de notation financière ») et coupent dans les services et les programmes sociaux. Les individus se replient sur leurs « acquis », craignant pour leur retraite ou pour l'avenir de leurs enfants. Quand ils ne sont pas tout simplement broyés par les rouages de l'endettement, la perte de leur emploi ou de leur maison. Mais ils peuvent quand même, pour un temps encore, suivre en direct leur chute sur leur iPad ou leur téléphone « intelligent ».

Ce cul-de-sac de plus en plus évident de la consommation a provoqué divers réveils sectoriels : simplicité volontaire, décroissance, alimentation locale, commerce équitable, revitalisation des petites communautés, etc. Débouchant sur une contestation plus globale comme celle des « indignés » et du mouvement « Occupons ». L'espoir au cœur d'un monde qui crève...

ROMPRE AVEC LA « DISTRACTION » !

Nous accordons, dans les pays riches, de plus en plus de place au « divertissement », aux loisirs, à la télévision, aux voyages et maintenant, aux innombrables déclinaisons des possibles électroniques. Nos vies se passent comme si le but était de se « distraire ». Être distraits (détournés) de quoi au juste ?

Loin de moi l'idée de refuser le ou les plaisirs de la vie ! Mais pourquoi, pour quoi et pour qui, vit-on ? L'évolution de nos sociétés prospères, au cours du dernier demi-siècle en particulier, démontre à l'envi que le plaisir et l'aisance matérielle ne suffisent pas à « remplir une vie » ou à procurer le bonheur : les taux de maladie mentale et de suicide n'ont jamais été aussi élevés. Et malgré le recul des religions à l'échelle des sociétés, la quête de sens est plus importante que jamais sur le plan individuel. Tout comme les sociétés sont à la recherche d'une nouvelle éthique séculière, de balises morales collectives, pour servir d'assises communes au vivre ensemble.

C'est que l'être humain est porteur, depuis toujours, d'aspirations qui dépassent le boire et le manger, le ronron du « métro-boulot-dodo », l'espèce de tapis roulant du « tout le monde le fait, fais-le donc ». Quel est ce « plus » auquel chacun aspire, plus ou moins confusément ? La réponse varie selon les personnes mais elle demande, pour tous, un peu de silence et de recul dans le brouhaha assourdissant que sont devenues nos vies : prendre le temps de se demander quels sont ses véritables besoins, ses priorités. Et essayer de ne pas (trop) s'en laisser distraire. C'est exactement le sens que Richard Gregg, le créateur de la « simplicité volontaire » en 1936, donnait à cette expression : la simplicité volontaire comprise non pas au sens de vivre avec moins, mais au sens d'identifier clairement ce qui nous tient à cœur et de ne pas laisser l'extérieur (les possessions, le besoin d'argent, etc.) nous détourner de notre objectif premier.

Or notre société actuelle fait absolument tout pour nous distraire de cet essentiel propre à chacun : du bruit, des foules, de la vitesse, des sollicitations innombrables, et toujours plus ! De quoi exacerber nos désirs bien au-delà de toute possibilité de les combler. Cette sur-sollicitation, qui mise essentiellement sur l'avoir, sur le paraître, sur « l'extérieur » ou le superficiel, se fait toujours au détriment de « l'intérieur », du centrement, de l'essentiel. Et cette sur-sollicitation étourdissante est indispensable à une économie marchande qui doit sans cesse croître et offrir de la nouveauté.

Même si cela ensevelit la richesse du silence, tue la fébrilité de l'attente, et anesthésie la sensibilité à la magie du détail ou à la poésie de l'instant présent.

ROMPRE AVEC LA PORNOGRAPHIE!

J'ai hésité à écrire cette section. Car si la sexualité n'est plus un tabou dans notre société, dénoncer la pornographie l'est presque devenu. On ne veut tellement pas avoir l'air prude, rétrograde ou moraliste.

La pornographie, elle, ne se gêne pas tant! Elle s'étale partout, presque autant que la publicité qui nous poursuit jusque dans les moindres recoins de notre vie (des sièges de wagons de métro jusque dans les salles de toilettes). Il y a d'ailleurs des rapprochements à faire entre pornographie et publicité sur plusieurs points, et pas seulement par l'utilisation qu'elles font l'une de l'autre.

Je n'entrerai pas ici dans les distinctions entre sexualité, libido, amour, érotisme et pornographie. Mais c'est en tenant compte de ces distinctions que j'affirme que la pornographie a envahi et pollué notre société. À un point tel qu'on ne la voit souvent même plus tant elle est devenue familière.

La pornographie, c'est bien sûr ce que l'on désigne généralement comme de la « porno » : films, images, spectacles, magazines, etc., dont le contenu est tout entier axé sur l'excitation sexuelle primaire et sur l'appel aux « bas instincts ». C'est l'une des « industries » les plus lucratives de la planète. Et certainement la partie de l'Internet la plus fréquentée.

Mais la pornographie dont je parle ici, c'est également tout ce qui concerne l'exploitation sexuelle des femmes et des enfants (et parfois aussi des hommes) pour des objectifs économiques, mais aussi avec un but (ou à tout le moins un effet) de domination, de dégradation, de violence ou d'humiliation. Et tout ce qui réduit les personnes à des « choses » qu'on peut utiliser à ses propres fins, ce qui inclut bien sûr tout le trafic international des personnes, tragiquement encore beaucoup plus répandu qu'on ne le croit. Il suffit de constater, pour s'en convaincre, le trafic sexuel des femmes qui entoure tous les grands événements sportifs planétaires : Jeux olympiques, Grands Prix de Formule 1, etc.

Pourtant, la pornographie n'est-elle pas seulement un libre choix personnel et destinée à la consommation privée ? Pourquoi faudrait-il ROMPRE avec elle davantage qu'avec bien d'autres préférences personnelles plus ou moins discutables ? Pour plusieurs raisons.

D'abord parce que l'exploitation de n'importe quelle personne humaine, à des fins sexuelles ou autres, est en soi totalement inacceptable.

Ensuite parce que la pornographie est l'un des outils les plus efficaces et les plus insidieux pour réduire la moitié de l'humanité (et même davantage, si l'on tient compte des enfants) à un statut inférieur : l'image dégradée de la femme, réduite au service des plaisirs ou des caprices de l'homme

(ou d'autres femmes) a forcément des conséquences durables dans l'imaginaire collectif et
dans les rapports humains qu'on développe.

Mais aussi parce que la pornographie dé-
forme et pollue durablement l'image même que
l'on se fait de l'amour humain et des rapports
amoureux, y compris de la sexualité humaine.
Avec un impact souvent important sur notre capacité concrète de trouver du plaisir et du bonheur. Car la pornographie en est venue à tellement coloniser notre imaginaire qu'elle s'est peu
à peu imposée comme norme de référence sur ce
qui est « normal », désirable, acceptable : et tout
ce qui ne se compare pas avantageusement avec
ce que la pornographie nous propose comme re-
présentation de la sexualité humaine – c'est-à-dire
la vaste majorité de nos vies ! – devient alors ina-
déquat, insatisfaisant, dévalorisé.

Et enfin parce que la pornographie, comme
n'importe quelle drogue, entraîne souvent la dépendance à bien des niveaux et exige des stimu-
lations toujours plus fortes pour maintenir le niveau de plaisir recherché : autre manifestation
d'un bonheur élusif qu'on poursuit dans le « toujours plus ».

ROMPRE AVEC LE « TRAVAIL » !

Eh oui ! J'ose l'écrire : il faut ROMPRE avec le
travail. Je parle ici non pas du travail utile, qui
sera toujours une partie nécessaire de nos vies, et
d'une répartition indispensable des tâches communes pour le bien-être de la collectivité. Je parle
ici du travail productiviste enfermé dans un

système aveugle dont la finalité n'est plus le bien commun, mais la production pour la production, et la production pour le profit.

Bien peu de gens peuvent imaginer, ne serait-ce qu'un seul instant, une vie sans « travail » (au sens d'un emploi ou d'un travail rémunéré auquel on va généralement chaque jour consacrer de sept à huit heures, au moins cinq jours par semaine). Car « on n'a pas le choix ; il faut bien gagner de l'argent pour payer ses factures » ! Notre système est ainsi fait que, dès leur naissance, les individus sont programmés pour une vie consacrée à « nourrir la machine », à « faire tourner la roue économique », sans prêter d'attention véritable à ce qu'ils aimeraient faire de leur vie, aux talents ou aux aspirations qu'ils ont, à leurs besoins particuliers. Quel gâchis !

Mais heureusement, la logique interne du capitalisme est elle-même en train de faire éclater ce modèle inhumain[10] : de plus en plus de travailleurs perdent leur emploi traditionnel (ou qu'ils croyaient assuré) au profit de la délocalisation des emplois vers des pays où la main-d'œuvre est moins coûteuse ; de plus en plus d'employeurs traduisent l'absence d'humanité du système en

---

[10] On me trouvera peut-être insensible, arrogant ou présomptueux de trouver heureux les malheurs que je décris ensuite : qui suis-je pour décider, à la place des autres, que leur vie de travail est « inhumaine » ? Rendre justice à la vie et aux choix de chacun est impossible ici. Je dois accepter de porter un jugement général sur la fonction, l'organisation et les conditions actuelles du travail salarié dans notre société : et pour moi, elles ne servent actuellement ni les meilleurs intérêts des individus ni ceux de la collectivité.

gérant leurs « ressources humaines » comme s'il s'agissait de bétail ou d'unités de production interchangeables ; de plus en plus d'inventions technologiques mettent en péril d'autres inventions technologiques (comme les iPods qui tuent l'industrie des CD) ; et la mondialisation des marchés n'empêche en rien (quand elle ne contribue pas à les créer) les crises économiques de plus en plus fondamentales.

De plus, avec l'automatisation croissante de la production et l'augmentation de la productivité, les entreprises ont besoin de moins en moins de travail humain et de plus en plus d'équipement pour produire toujours plus et à meilleur coût (notons le parallèle frappant avec la guerre qui se fait, pour les pays « avancés », de moins en moins avec des militaires et de plus en plus avec de la quincaillerie sophistiquée : seules les victimes demeurent massivement des humains !). Si bien que les notions de « travail salarié », de « vie professionnelle » ou de « profil de carrière » sont en train d'être profondément transformées. Et qu'un nombre grandissant d'hommes et de femmes se retrouvent sans travail fixe, en retraite anticipée, dans des emplois temporaires ou avec un travail qu'ils doivent eux-mêmes se créer.

Bref, il est fort probable que le capitalisme, et l'avidité sans retenue qu'il a favorisée, se retrouve face à un mur forçant une remise en question radicale de l'économie elle-même : cette économie qui était, à l'origine, l'art de gérer au mieux la maisonnée (ou la collectivité) et qui est peu à peu devenue la « science » de faire fructifier l'argent à l'infini grâce à la création incessante de nouveaux

« produits financiers », sans lien réel avec la production de biens et services : plus de 95 % des transactions financières effectuées chaque jour ne sont que du « vent », des colonnes de chiffres comptables, de la spéculation complètement déconnectée de toute production réelle. Cette économie devra redescendre « sur le plancher des vaches » et se poser les questions essentielles : de quoi a-t-on *vraiment* besoin ? Qui pourrait le mieux le produire, et comment ? Comment pourrait-on le distribuer aussi équitablement que possible ?

Et alors se posera la question véritable du « travail » : comment puis-je au mieux utiliser le temps de ma vie pour apporter une contribution utile au bien commun (qui inclut le mien) ? Quelle part de ce temps dois-je consacrer au « travail rémunéré » ou au travail que nécessite le juste partage des responsabilités communes ? Qu'est-ce qui contribue le plus à mon bonheur et à celui des miens : du temps passé à tisser des liens significatifs ? Une solidarité bâtie autour de projets communs ? Des services partagés à l'intérieur de réseaux à taille humaine ? Ou alors l'accumulation illimitée de désirs et d'objets sans cesse remplacés par d'autres ?

ROMPRE AVEC LA FUITE EN AVANT DANS LE VIRTUEL !

Le développement de la technologie équivaut souvent à une fuite en avant. Et il n'y a guère de domaine où celle-ci ne s'exprime davantage que dans l'univers informatique. En moins de 30 ans (car les ordinateurs ne sont vraiment entrés dans nos vies qu'à partir des années 1980), les « progrès » se sont succédé à une vitesse toujours plus folle : augmentation des capacités de stockage, accélération phénoménale des vitesses de transmission et d'exécution, multiplication des supports et des plates-formes, explosion des applications et des possibilités, exploration d'univers virtuels jusqu'ici insoupçonnés (sensoriels, tactiles, olfactifs, tridimensionnels, etc.). Mais sans s'être vraiment arrêtés pour nous demander où cela nous menait.

Déjà, avant la généralisation de l'informatique, le paysan philosophe Pierre Rabhi dénonçait les dérives de notre culture moderne qui s'est développée « hors sol ». Même sans porter de jugement sur les conséquences psychologiques et sociales, pour les individus et pour les collectivités, de cette omniprésence des outils (gadgets ?) électroniques dans nos vies, force est de constater que cette transformation technologique nous éloigne sans cesse du *réel* au profit du *virtuel*. L'univers numérique contribue à une dématérialisation progressive de notre monde, au point que nos écrans finissent par se substituer à la nature. Or notre monde est d'abord et avant tout un univers du réel, de la matière, des personnes. La « vraie » vie ne se vit que dans le réel : nos corps ont besoin de véritable nourriture, de vêtements en vrai tissu, de sommeil authentique. Les enfants naissent de la rencontre de deux corps en chair et en os. Et la société ne peut résulter que de l'interaction de personnes véritables et non pas d'avatars, de profils ou autres identités numériques.

Alors que la technologie informatique nous pousse toujours plus loin, avec un réalisme sans cesse plus confondant, dans l'univers du virtuel : jeux, voyages, rencontres, etc. Virtuel dans lequel on passe de plus en plus de temps, au détriment de notre monde qui en subit les conséquences le plus souvent involontaires ou inconscientes, mais non moins réelles.

ROMPRE AVEC L'INFORMATIQUE ?

C'est la seule section où le point d'exclamation est remplacé par le point d'interrogation. Pour bien marquer que je n'invite pas à ROMPRE avec l'informatique de la même manière que j'invite à le faire avec tant d'autres réalités. Pas seulement parce que cela ne serait pas concrètement réalisable, mais aussi parce que cela ne serait sans doute même pas désirable.

Pourquoi donc critiquer l'informatique ? D'abord parce qu'elle est, de plus en plus, devenue à la fois une idole et un maître, comme l'argent, au lieu d'être développée et utilisée comme un serviteur précieux et souvent efficace. Il suffit de constater l'orgie de dépenses englouties dans tout ce qui touche l'électronique et ses innombrables déclinaisons, l'obsolescence programmée, qui pousse à remplacer les modèles à un rythme fou jamais atteint pour aucun autre bien de consommation, mais aussi le temps de plus en plus considérable que l'on y consacre et la dépendance croissante qu'elle nous impose : il devient chaque jour plus difficile de vivre en dehors de cet univers informatique omniprésent (les jeunes enfants doivent apprendre à maîtriser l'ordinateur au même titre que l'écriture – et souvent plus tôt ! – sous peine d'être illettrés ; les dossiers personnels ou médicaux n'auront bientôt plus de supports matériels ; les téléphones publics sont en voie de disparition ; etc.).

Nicholas Carr rappelle que la découverte la plus significative de Marshall McLuhan est que ce n'est pas tant le contenu ou l'usage de la technologie qui nous transforme que la technologie elle-même. En ce sens, la technologie n'est jamais neutre et il est scientifiquement inexact de dire que « tout ne dépend que de l'usage qu'on en fait ». L'univers informatique n'échappe évidemment pas à cette affirmation.

En ce sens, l'informatique est en train de modifier durablement, à notre insu, nos cerveaux physiologiques, nos relations humaines et notre perception du monde. J'ai écrit, il y a 15 ans, que l'informatique marquerait, dans l'histoire de l'humanité, un saut qualitatif aussi important que la découverte du feu, l'invention de la roue ou celle de l'imprimerie. Pas tant à cause des possibilités innombrables qu'elle ouvrait que parce qu'elle modifierait de façon importante notre manière même de penser et d'appréhender le réel. Car on ne peut pas réduire toute la complexité du monde (les images, les sons, les connaissances ou les odeurs) à une logique binaire (simple succession de 1 et de 0) sans que cela laisse des traces profondes dans le fonctionnement du cerveau humain.

De même, les relations interpersonnelles sont fortement influencées par l'existence de tous ces moyens de « communication » virtuelle et instantanée : réseaux sociaux, téléphones intelligents, textos, etc. Même la perception que l'on a des personnes se transforme avec nos « profils » informatiques, nos identités (ou notre anonymat) virtuelles. Tous des phénomènes en cours de développement et qu'on commence à peine à étudier et à mieux cerner.

Mais plus profondément encore, la technologie informatique semble avoir ouvert des horizons proprement illimités. D'où la tentation d'y voir une solution potentielle à tous les problèmes, même les plus redoutables.

L'informatique est une invention exceptionnelle et remarquable. Comme tous les outils humains, elle est capable du meilleur et du pire, selon l'usage qu'on en fait (ce qui n'empêche pas qu'elle nous façonne indépendamment de l'usage qu'on en fait). Et qu'on le veuille ou non, on ne la « désinventera » jamais ! Mais gare à l'humain : l'informatique a tout ce qu'il faut pour davantage aliéner son utilisateur que pour le libérer. Et cet esclavage électronique et virtuel sera d'autant plus redoutable et pernicieux qu'il sera perçu comme agréable et désirable.

ROMPRE AVEC L'ILLUSION TECHNOLOGIQUE !

J'ai déjà dit combien l'inventivité humaine s'est révélée prodigieuse. Et quels succès extraordinaires ont permis bien des inventions ou découvertes. Je ne suis donc pas contre la technologie ou le « progrès » : à la condition toutefois qu'on s'assure qu'il s'agit bien, finalement, d'un véritable progrès. Car toute nouveauté, même quand elle est spectaculaire ou financièrement rentable, n'est pas nécessairement un progrès pour autant.

Deux principaux travers accompagnent présentement la mentalité technologique qui s'est développée en même temps que les innovations remarquables qu'on a connues surtout depuis deux siècles : l'attitude selon laquelle « tout ce qui est possible devrait être fait », et l'illusion que « la technologie (ou la science) va finir par trouver une solution à n'importe quel problème ».

Ce n'est pas parce que l'informatique permet l'information en temps réel ou les transactions boursières instantanées à l'échelle de la planète que cela est une bonne chose. L'information instantanée enlève tout espace de recul et de réflexion, tant pour ceux qui font l'actualité que pour ceux qui la rapportent, la regardent, l'écoutent ou la lisent. Ce qui entraîne la réaction-réflexe, rend plus difficile la mise en contexte, favorise la simplification, la généralisation ou les préjugés. Toutes choses qui s'avèrent davantage néfastes que positives pour notre vie collective et notre démocratie, sous prétexte de transparence absolue... mais aussi de compétition féroce entre les réseaux d'information continue.

De même, les transactions boursières planétaires ont accru l'interdépendance financière du système économique, augmenté le pouvoir déjà considérable des financiers aux dépens des États et diminué le temps de réaction possible des responsables pour contrôler les risques ou empêcher les crises de se répandre. Ce qui a peut-être décuplé les possibilités de gains juteux pour certains spéculateurs, mais qui n'a certainement pas amélioré la sécurité financière des États ou des collectivités.

Il serait trop long d'illustrer les innombrables « possibilités » technologiques qui ne devraient pas ou qui n'auraient pas dû être développées. Je me contenterai d'un seul cas récent : on vient de mettre au point une application électronique permettant de filmer, à son insu, un utilisateur d'ordinateur face à son écran. L'idée de l'inventeur était sympathique : un papa voulait pouvoir saisir « sur le vif », sans que l'expression « fige » devant l'appareil photo, les mimiques de son jeune enfant s'initiant aux plaisirs de l'informatique. Il a donc développé l'outil technologique nécessaire, puis a voulu le partager avec les autres (et tirer profit de son invention), sans se soucier du fait que l'outil risque fort de servir davantage à l'espionnage de la vie privée qu'à capter les mimiques suaves des bambins. Conscient de ce danger, l'inventeur compte sur la bonne foi des utilisateurs pour en éviter les abus !

L'autre danger principal de la technologie, c'est l'illusion confortable qu'elle trouvera nécessairement une solution à tous les problèmes, actuels ou éventuels. Les résultats spectaculaires qu'elle a atteints ces dernières années en sont venus à faire croire, à tort, que la technologie (ou la science) a réponse à tout : les changements climatiques, la fin du pétrole, l'épuisement des ressources, la faim dans le monde, les crises économiques, la sécurité routière, l'épidémie de diabète, etc. « Pas de problème : "y" vont trouver une solution ! » Sorte de pensée magique contemporaine, alimentée par tous ceux et celles qui ont intérêt à ce que rien ne change et à ce que les humains ne sortent pas de leur passivité de spectateurs-consommateurs.

La technologie est un *outil*, certes fabuleux, mais qui ne devrait jamais être autorisé à devenir une fin en soi, et encore moins une justification facile à notre démission collective. Elle devrait demeurer un serviteur dont nous nous assurons soigneusement de toujours demeurer maître. Autrement, nous jouons dangereusement à l'apprenti sorcier qui met en branle des forces redoutables, lesquelles échappent rapidement à son contrôle et se mettent à dicter les règles du jeu. Et c'est actuellement, de plus en plus, ce qui se produit avec la technologie. Il est urgent d'en reprendre le contrôle, avant qu'il ne soit trop tard.

ROMPRE avec la tentation de se prendre pour Dieu !

Sujet dangereux, tabou : comment oser questionner le désir humain de progresser à l'infini, jusqu'à maîtriser totalement l'univers et sa propre destinée ? Comment contester la prétention de l'être humain à s'auto-suffire totalement, à devenir son propre dieu ?

Dans un monde et un siècle où la science a expliqué la plupart des phénomènes longtemps attribués à des forces supérieures et mystérieuses, où l'on réussit à intervenir sur les mécanismes les plus intimes et infimes de la vie, et où on a débusqué la plupart des faiblesses et même des ignominies des grandes traditions religieuses, la tentation est forte de placer l'humain au centre de la Création et d'éliminer toute forme de Transcendance. D'autant plus que l'humanité a peiné longuement pour sortir du « merveilleux » associé aux diverses religions et pour acquérir sa pleine et juste autonomie dans le monde. Pas question donc de revenir en arrière et d'abdiquer cette autonomie chèrement gagnée.

Alors, où est le problème ? Justement dans le fait que l'être humain n'est pas, et ne sera jamais, le commencement et la fin de tout. Et que les efforts des deux derniers siècles pour proclamer et assumer la mort de Dieu se sont révélés, *c'est ma conviction profonde*, insatisfaisants au mieux et dangereux au pire. Toutes les tentatives pour faire de l'humain, ou de l'une de ses inventions, comme l'argent, le nouvel Absolu ont abouti à des totalitarismes au moins aussi néfastes que ceux qu'on prétendait remplacer.

L'aventure humaine comporte une part inhérente de transcendance que les humains ont tenté d'approcher, au fil des siècles, de multiples manières : religions, philosophies, arts, crainte, émerveillement, contemplation. Cette transcendance, cette dimension qui dépasse le seul concret du réel, qui rejoint à la fois les origines et les fins de l'univers et qui s'intéresse davantage aux questions de sens qu'aux mécanismes de fonctionnement, n'a jamais pu être évacuée de l'expérience humaine. C'est cette Transcendance, avec un grand T, que les humains nomment aussi bien Dieu (sous ses innombrables appellations selon les traditions religieuses) que l'Absolu, et que j'aime bien identifier comme le « Plus-Grand-que-soi ».

Ce n'est pas le lieu, ici, de débattre de la question, et encore moins d'essayer de vous convaincre de ma vision des choses. Mais j'affirme clairement que l'humain, aussi moderne, évolué et puissant qu'il soit devenu, ne suffit pas à expliquer la vie et sa place au sein de celle-ci. Et que le refus d'une Transcendance quelconque, pour tout ramener à la seule échelle humaine, contribue de manière non négligeable aux culs-de-sac que rencontre présentement l'humanité.

Et j'ose avancer qu'une humanité qui fait de l'humain sa propre finalité est inexorablement vouée aux nombreux problèmes que nous connaissons présentement : anthropocentrisme, destruction progressive de la nature, périls entraînés par l'orgueil et l'avidité, perte de sens et repli sur ses propres intérêts, etc.

Chapitre III

OUI, MAIS...

Ces « coups de gueule » sont un cri. Le mien, bien sûr, mais aussi celui de tellement d'« indignés », officiels ou officieux, dont j'entends depuis longtemps gronder la rumeur. Il dit davantage ce qui n'est plus tolérable que ce par quoi nous sommes prêts à le remplacer. Parce qu'il faut d'abord être insatisfait, choqué ou blessé par quelque chose avant de vouloir le changer. Parce qu'il faut d'abord dire NON à quelque chose avant de trouver l'énergie nécessaire pour identifier et dire OUI à autre chose.

Par contre, je ne suis ni un idéologue, ni un extraterrestre. Je connais bien la pesanteur du réel et je ne rêve pas du Grand Soir. Et je vous ai entendu répéter, tout au long du chapitre précédent : « Oui, mais... » Nous allons donc aborder succinctement un certain nombre de ces réserves ou de ces nuances dont je suis moi-même bien conscient.

Rien n'est « noir ou blanc »

L'affirmation claire, et parfois brutale, de constats et de convictions ne traduit en rien une vision simpliste de la réalité : je sais pertinemment que « rien n'est tout noir ou tout blanc » et que la réalité est généralement beaucoup plus riche et complexe que les analyses réduites à des slogans. Je pourrais donc moi-même nuancer la plupart de mes affirmations, ce qui n'aurait pour effet que d'affaiblir le propos, d'allonger le texte et de complexifier les problèmes et les solutions. Ce n'est pas le but de ce petit livre qui cherche avant tout à réveiller ceux qui dorment, à mobiliser ceux qui hésitent, à outiller ceux qui cherchent et à nourrir l'espérance de tous ceux et celles qui sont en marche pour construire ce « monde autre » dont nous avons un urgent besoin.

Structures et bonne volonté

Les « coups de gueule » du chapitre II n'ont rien à voir avec la vertu ou la bonne volonté possibles de bien des acteurs. Nous parlons ici de problèmes structurels, et non pas d'attitudes ou de valeurs individuelles. Un chef d'entreprise peut fort bien être généreux tout en se sentant obligé de mettre à pied de nombreux travailleurs pour maintenir son entreprise. La plupart de ces gens se sentent obligés de vivre à une vitesse toujours plus folle, même quand ils ne sont pas d'accord avec cette façon de vivre. Et nous sommes les premiers à souhaiter que nos épargnes, nos REER et nos fonds de retraite (pour ceux qui en ont) nous rapportent les meilleurs rendements possibles, même si c'est précisément cela qui nourrit la spéculation et la finance-casino.

DÉPASSEMENT ET AUTOLIMITATION

C'est une caractéristique de la vie elle-même que de vouloir se développer, et une caractéristique de l'humain que de vouloir sans cesse se dépasser. Et pourtant, nous avons atteint collectivement un point de développement où la seule voie viable réside dans l'autolimitation et où la sagesse nous impose d'envisager la décroissance (par exemple, en matière d'émissions de gaz à effet de serre). Cela n'est pourtant pas contraire aux lois de la nature : nous savons tous que la population humaine, après avoir crû constamment pendant des siècles, va un jour ou l'autre plafonner, puis commencer à se réduire au cours des prochaines décennies. Et les scientifiques croient que l'expansion de l'univers sera sans doute suivie d'une phase de contraction de celui-ci.

LES PROGRÈS ET « L'EFFET REBOND »

Presque toutes les découvertes ont entraîné, à moyen ou à plus long terme, des conséquences souvent imprévues qui limitaient, ou parfois même annulaient complètement, les avantages d'abord espérés : ce qu'on a appelé les « effets secondaires » ou les « dommages collatéraux ». De même, en matière technologique, bien des « progrès » ont été sérieusement limités par ce qu'on appelle « l'effet rebond » : nos moteurs automobiles plus efficaces consomment moins d'essence par kilomètre parcouru ; en conséquence, on parcourt davantage de kilomètres chaque année, ce qui annule l'avantage recherché. L'utilisation des ordinateurs devait réduire considérablement la consommation de papier (or l'expérience montre qu'on en utilise au contraire davantage) et nous épargner beaucoup de temps (or nous y consacrons toujours plus de temps).

LE PASSÉ ET L'AVENIR

On a souvent la nostalgie du passé (comme si les choses étaient bien mieux « dans notre temps »). Pourtant ce mythe d'un « âge d'or » est de toutes les époques. Et la vie se trouve toujours *devant* nous, que cela nous plaise ou non, jamais derrière. Nous sommes cependant face à une situation historique qualitativement différente : nous avons atteint, par le nombre d'habitants sur Terre et la gravité des défis que pose leur empreinte écologique, un point critique que nous n'avions jamais approché, même de loin, par le passé. D'où la nécessité de remettre sérieusement en question certains de nos choix individuels et collectifs, non plus au nom d'une nostalgie du « bon vieux temps » mais au nom de la survie même de l'espèce humaine.

L'INDIVIDU ET LE COLLECTIF

Nous avons connu, au cours des siècles récents, les avantages et les défauts aussi bien des sociétés collectivistes (entre autres les aventures communistes ou fascistes du XXᵉ siècle) que des sociétés individualistes (avec les excès répétitifs du capitalisme ou de la mondialisation néolibérale actuelle) : création, répartition ou concentration de la richesse, encouragement de l'initiative individuelle et de l'entrepreneuriat, protection ou exclusion du plus grand nombre, libertés réelles ou apparentes, etc. Nous devons reconnaître qu'il n'existe aucun système parfait et qu'il y aura toujours une tension dialectique entre les intérêts individuels et les intérêts collectifs. Et c'est précisément cette tension qu'il faut encourager et maintenir, même si comme toute tension cela est forcément inconfortable, pour puiser au meilleur des deux univers et en mitiger leurs inconvénients. L'individu est, èt sera toujours, un être sociable qui a besoin des autres. Les intérêts collectifs ne pourront jamais être adéquatement défendus autrement que par l'implication collective des individus et le respect de leurs intérêts.

LA VÉRITÉ ET LE DOUTE

S'il est une leçon que nous devons tirer du dernier siècle, c'est que tout fondamentalisme (qu'il soit religieux, économique, politique ou scientifique) est dangereux. On tue au nom de la Vérité. Tandis que lorsqu'on cultive le doute et la curiosité, on cherche ensemble, en science comme en société. Si les convictions, les principes et les croyances sont des attitudes et des aptitudes éminemment valables et utiles pour construire nos vies, ils sont de toute évidence multiples et très diversifiés, en fonction des histoires, des contextes et des cultures. Personne ne possède la Vérité, malgré la tentation que nous avons tous de croire nos choix supérieurs à ceux des autres. Et rien n'est plus dommageable, pour notre capacité de « vivre-ensemble-à-7-milliards-d'humains », comme le rappelait Riccardo Petrella, que de prétendre détenir *la* Vérité.

L'Utopie nécessaire

Il faut se remettre à croire, à rêver, à imaginer, à considérer l'impossible ! Sinon nous sommes condamnés à répéter le présent. Le monde n'est ce qu'il est que parce que nous y consentons, de manière plus ou moins volontaire ou consciente. Si nous voulons d'un monde différent, il nous faut d'abord ROMPRE avec celui qui est, et accepter l'insécurité de l'entre-deux. Et pour y parvenir, nous devons impérativement sortir de l'impuissance, décoloniser l'imaginaire, devenir capables de penser les choses autrement. L'histoire montre que rien n'est une fatalité, et que les utopies et les rêves les plus audacieux peuvent être réalisés avec de la vision, du courage, de la patience et de la détermination : abolition de l'esclavage, indépendance de l'Inde, reconnaissance de l'égalité des Noirs étatsuniens et de leurs droits civiques, chute du mur de Berlin et effondrement du rideau de fer, fin de l'apartheid en Afrique du Sud, etc.

Sevrage et désintoxication

Ne nous contons pas d'histoires : nos façons actuelles de penser et de vivre sont devenues, pour beaucoup d'entre nous, aussi enivrantes qu'une drogue dure. Nous tirons souvent profit de ce système même que nous dénonçons. La société de consommation, avec ses satisfactions immédiates et individuelles, et ses rêves inlassablement renouvelés et proposés, nous tient captifs d'une dépendance émotive aussi difficile à briser que la pire des accoutumances. Pas étonnant que ROMPRE s'apparente à une véritable cure de sevrage, tant sur le plan intellectuel que sur le plan émotif : avec les difficultés et les souffrances, les défis et les exigences, la patience et la persévérance, de même que les inévitables avancées et reculs que tout sevrage comporte.

UNE RÉVOLUTION PERMANENTE

C'est une illusion de croire qu'on puisse régler quelque problème que ce soit « une fois pour toutes » ou construire une situation rêvée de manière permanente. Toute révolution, aussi réussie soit-elle, est sans cesse à refaire si on veut éviter qu'elle se fige en une nouvelle tyrannie. Le plus bel exemple que je connaisse de cette révolution permanente me vient de la tradition biblique juive : c'est l'institution du Jubilé, proposée comme un idéal au « peuple de Dieu » bien des siècles avant Jésus de Nazareth. Il s'agit, tous les sept ans, de remettre les dettes à ses débiteurs, de libérer ses esclaves, de donner congé aux animaux et à la terre, bref, de prendre une année sabbatique et de « remettre tous les compteurs à zéro ». Cette sagesse, bien peu mise en pratique il faut le reconnaître, est une invitation à tenir compte de la condition humaine. Les humains seront toujours inégaux, dès la naissance, tant par leurs talents, leurs conditions spécifiques ou leurs handicaps. Et même s'ils sont sur le même pied au départ, les différences vont très tôt se manifester et ne vont que s'accentuer avec le temps. La seule façon d'assurer une certaine égalité des chances, c'est de remettre régulièrement les « coureurs » sur la même ligne de départ. Sinon, les écarts (et les injustices qu'ils entraînent) iront toujours en grandissant.

UN DÉFI DÉCISIF

Le défi planétaire actuel est sans précédent. Non seulement par son ampleur, mais aussi parce que, pour la première fois, il est le résultat de l'activité humaine et que nous possédons les outils nécessaires pour le relever... si nous en avons la sagesse et le courage ! Soyons clairs. La Terre n'a pas besoin des humains pour exister : des changements climatiques, elle en a connu d'autres ! Mais l'inverse n'est pas vrai : si l'espèce humaine veut continuer à vivre, elle dépend des ressources de la planète. La vraie question est précisément là. Voulons-nous, en tant qu'humanité, poursuivre l'aventure de l'*Homo sapiens* ? Voulons-nous léguer une planète vivante, et vivable, à nos enfants et à nos petits-enfants ? Il n'est pas du tout impossible que l'humain disparaisse, comme le montre bien le récent film de Mathieu Roy, *Survivre au progrès*, basé sur l'essai de Ronald Wright. Et on ne peut même pas affirmer qu'il s'agirait d'une calamité à l'échelle de l'univers. Mais ce serait certainement une tragédie concrète pour nous et nos descendants immédiats, et la manifestation d'un échec de l'humanité à gérer son propre destin. Ce qui est clair, c'est que notre trajectoire actuelle se dirige directement dans un mur. Et que ce défi est urgent, même à l'échelle du « temps long » de la planète.

UN TRAVAIL IDÉOLOGIQUE

Les révolutions, jusqu'ici, concernaient essentiellement la détention du « pouvoir » : quel individu, groupe ou classe sociale allait diriger un modèle de société somme toute relativement semblable : basé sur la production matérielle, la croissance et le progrès illimités. La révolution aujourd'hui nécessaire est beaucoup plus profonde, radicale : c'est le modèle même de société qu'il faut changer. Pour y arriver, nous devons d'abord libérer notre imaginaire, le décoloniser de toutes les conceptions qu'on lui a peu à peu inculquées, voire imposées. Il faut redécouvrir que la vie peut être autre chose que ce que l'on a connu, que son organisation peut être immensément différente, que les valeurs actuellement dominantes (l'argent, la croissance, le profit, la richesse, l'individu, la propriété, le travail, la compétition, la guerre, etc.) ne sont pas les seules possibles, ni des fatalités de l'existence humaine. Il faut réapprendre à rêver, comme nous y invitent, de tout temps, les philosophes et les poètes. C'est à ce travail idéologique que veut contribuer ce petit livre. C'est, j'en suis convaincu, un travail préalable fondamental, plus urgent et tout aussi important à cette étape du processus que la formulation d'alternatives concrètes.

Confiance et espérance

Je veux réaffirmer ici, haut et fort, la confiance profonde que j'ai en l'être humain. Cette confiance est basée sur deux choses. D'abord, l'histoire absolument étonnante de l'espèce humaine. Mais aussi une confiance métaphysique, un choix inspiré par ma propre tradition religieuse, et que l'on nomme chez les chrétiens espérance. Cette espérance ne garantit certes rien ! Mais elle remet nos responsabilités entre nos mains et exige que nous fassions d'abord « notre part » : « Aide-toi et le Ciel t'aidera », comme le dit la sagesse populaire. Pour le reste, l'espérance crée les conditions favorables pour que le meilleur advienne, ne fût-ce que parce que c'est ce que nous souhaitons et ce en quoi nous avons confiance. Cette espérance n'est évidemment pas réservée aux « croyants » (d'une quelconque tradition spirituelle). C'est un besoin anthropologique profond de croire en la possibilité d'un avenir meilleur et on ne peut, sans cela, oser donner naissance aux générations futures. Devant les défis redoutables qu'affronte l'humanité, sommes-nous encore prêts à miser « pour la suite du monde », selon le beau titre du film de Pierre Perrault ? Et à faire tout ce qui est nécessaire pour rendre possible cette suite du monde ?

Risquer sa vie

Les choses vraiment essentielles pour l'être humain sont les quelques (rares) personnes, causes ou idées pour lesquelles il serait prêt à risquer ou à donner sa vie : le reste n'est que matière de goûts, de désirs ou de préférences. L'être humain n'a progressé que quand il a accepté de quitter sa sécurité provisoire pour aller à la recherche de nouveaux territoires de chasse, de nouveaux pâturages, de nouveaux continents ou de nouvelles découvertes. Et les merveilles, le surprenant, l'impossible n'ont été atteints qu'au risque d'essayer ce qui n'avait encore jamais été réussi. Il n'y aura pas d'« *autre monde possible* » sans que nous soyons prêts à nous y engager totalement, à oser, à sortir de notre « zone de confort ». La société à laquelle aspirent confusément les « indignés » ne tombera pas du ciel ! Nous allons devoir la construire ensemble, par essais et erreurs, « à la sueur de notre front » tout autant qu'avec les formidables nouveaux outils de communication électroniques. Face aux défis considérables et urgents auxquels nous sommes actuellement confrontés, des changements radicaux s'imposent : pour nous et pour nos enfants. Cela ne vaut-il pas la peine de risquer notre vie ?

Chapitre IV

QUE FAIRE ?

Stéphane Hessel a lancé en 2010 un appel à l'indignation. Certains ont jugé cet appel un peu court, disant que l'indignation n'était que le réflexe initial qui restait bien insuffisant tant qu'on ne passait pas à la résistance active à tout ce qui nous indigne. Pierre Rhabi, un agro-écologiste français d'origine algérienne, a lancé quant à lui un appel à « l'insurrection des consciences ».

De l'indignation à la résistance, puis à la rébellion et à la révolution, quel est au juste le chemin ? Comment passer concrètement du voir à l'agir, de la parole aux actes ? Bref, que faire ?

J'ai déjà dit, dès le début de cet opuscule, que mon propos n'était pas de fournir des solutions ou de proposer des modes d'emploi. Mon objectif était de réveiller, d'interpeller, de mettre en marche. D'ouvrir des questions, de déblayer des chantiers : pas de livrer des maisons « clés en main », ni même de fournir des plans d'architectes prêts à bâtir.

Je n'ai pas changé d'idée. Mais je ne veux pas me dérober à la question incontournable : en refermant ce livre, que puis-je faire concrètement pour faire avancer le processus, pour contribuer moi-même au chantier ?

Les lignes qui suivent sont des pistes, limitées mais importantes, pour répondre à certains des constats principaux faits jusqu'ici. Ni plus, ni moins.

IL Y AURA MILLE CHEMINS ET MILLE CHANTIERS

J'ai déjà dit qu'il n'existe pas de vérité unique, ni de solution parfaite. Cette multiplicité des approches d'une même vérité ou d'un même problème est encore plus inévitable dans un monde où les nations et les cultures forment de plus en plus un même village. *La capacité de débattre les divers points de vue* va devenir une exigence toujours plus importante : comment les revendications autonomistes de l'Iran seront-elles compatibles avec la volonté de maintenir le monopole nucléaire du « club des cinq » ? Comment Palestiniens et Israéliens sortiront-ils de la spirale infernale de la violence sans fin ? Comment les Nations Unies arriveront-elles à développer la sorte de « gouvernance mondiale » dont l'humanité a besoin ? Et pourquoi *nos* façons de voir, de comprendre et de vivre seraient-elles meilleures que celles des autres ?

Dans un autre registre, les changements nécessaires pour un monde nouveau touchent tous les domaines de la vie. Il y aura donc autant de chantiers divers sur lesquels il faudra expérimenter, faire avancer les réflexions et les initiatives : habitation, nourriture, travail, loisirs, famille, gouvernance, production, éducation, information, santé, spiritualité, etc. Même si certains chantiers peuvent s'avérer plus prioritaires ou plus structurants que d'autres, il y a de la place pour tout le monde, chacun à sa mesure et selon ses intérêts.

Nous ne partons pas de zéro

Si le cri des « indignés » a pu surprendre bien des gens, il n'était pourtant pas le fruit d'une génération spontanée. Les analyses et les constats faits dans ce livre ne sont pas que les miens : au contraire, j'ai le sentiment d'avoir mis en mots des émotions, des réflexions et des recherches amorcées depuis longtemps par de nombreux hommes et femmes sur une foule de questions.

Et ces précurseurs ne se sont souvent pas contentés d'analyser mais ils ont concrètement mis la main à la pâte et initié diverses expérimentations : agriculture urbaine, commerce équitable, relocalisation de l'activité marchande, logements collectifs, budgets participatifs, fête des voisins et ruelles vertes, etc.

Nous n'avons donc pas à tout ré-inventer. La première tâche est sans doute d'ouvrir les yeux et les oreilles autour de nous, d'identifier les forces vives du milieu et les démarches déjà en cours, de prendre connaissance de tout ce qui existe en ce sens et de développer des liens et des réseaux avec toutes ces initiatives pour un monde différent.

Dans le contexte actuel, où l'individu est de plus en plus ciblé et traité comme un élément isolé de sa collectivité, et où la santé financière collective dépend de l'individualisation et du morcellement toujours plus grands de la consommation, il est urgent d'inverser la tendance et de retisser les liens entre les individus pour reconstruire peu à peu de la communauté, de la collectivité et de la société.

Tout ce qui favorise le regroupement des personnes, la mise en commun des idées, le partage des biens et services doit être hautement priorisé : réunions de famille, se mettre à plusieurs pour regarder une émission ou un match, fêtes de ruelles ou de quartiers, copropriété d'automobile, de tondeuse ou de piscine, échanges de vêtements ou de services, comités de parents à l'école ou à la bibliothèque, partage de gardiennage, etc. Tout ce qui recrée des liens et développe des interdépendances entre les personnes et les groupes doit être favorisé. Car c'est la base même du monde que nous voulons bâtir. Et la condition préalable pour toute recherche éventuelle d'un bien commun.

RÉCUSER L'ARGENT ET SON UNIVERS

J'ai vérifié si « récuser » était bien le bon mot : « refuser, par soupçon de partialité, un juge, un juré, un expert ; *rejeter l'autorité, le témoignage de* ». C'est donc bien ce que je veux dire : il nous faut refuser, de plus en plus radicalement, l'autorité sur nos vies de l'argent et de tout ce qu'il entraîne inévitablement avec lui : l'économisme (cette mentalité qui explique et décide tout par « le signe de piastre »), le productivisme (qui privilégie la production à n'importe quel prix), l'utilitarisme (qui mesure tout exclusivement en fonction de sa seule utilité marchande), la financiarisation de l'économie (qui priorise la finance – la fabrication artificielle de l'argent - au détriment de la production de biens et services réels), la propriété privée (qui permet et justifie largement l'accumulation individuelle ou familiale de la richesse), etc.

Tant que l'argent est un outil symbolique facilitant les échanges, comme c'était le cas lors de sa création, pas de problème. Mais dès qu'il devient unité de mesure de la richesse, moyen de son accumulation ou, pire encore, principal critère de décision et de gestion de nos sociétés, alors il faut le refuser et le combattre.

S'il est un seul domaine où la décolonisation de l'imaginaire est essentielle, c'est celui de l'argent. Car pour la plupart d'entre nous, imaginer un monde où l'argent ne serait plus la circulation vitale de tout (comme le sang pour le corps) est presque impossible. L'argent, qui existe depuis longtemps sous une forme ou une autre, mais avec des objectifs et une influence infiniment différents jusqu'à récemment, est devenu le cœur même de notre vie individuelle et sociale. Essayez de trouver une nouvelle importante (l'élection d'un président, l'apparition d'un conflit, la découverte d'une technologie) qui ne soit pas aussitôt accompagnée par « la réaction des marchés » ! Il n'y a aucune justification pour que cela continue d'être.

Mais il faut admettre que cet adversaire sera sans doute le plus coriace de tous, avec la propriété privée à laquelle il est d'ailleurs étroitement lié. Raison de plus pour nous y attaquer résolument sans délai !

Concrètement, me direz-vous ? Il existe déjà plusieurs expériences pour remettre l'argent à sa juste place : monnaies locales liées à diverses formes de services d'entraide locale (SEL), réseaux d'échanges de savoirs, accorderies, fonds de financement alternatifs contrôlés par les usagers, micro-crédit, expériences d'auto-partage ou de bicyclette-partage, prêts sans intérêts au niveau local ou international, utilisation de l'héritage à léguer de son vivant, etc. Là comme ailleurs, il ne faut pas hésiter à innover, à explorer à contre-courant, à sortir de la « logique financière » qui a toujours été, dans son essence même, au service de l'enrichissement... des riches !

Refuser la vitesse et l'accélération illimitée

La vitesse tue. Et pas seulement sur les routes. Elle tue les relations humaines (on ne peut construire ou alimenter une amitié ou une relation amoureuse à la vitesse grand V). Elle tue la capacité de réflexion et de recul : l'humain ne peut réfléchir à la vitesse d'un ordinateur, et comme l'expression le dit bien, il faut « prendre le temps » de se retirer parfois des sollicitations ou des urgences de son quotidien. Elle tue le silence, la poésie, les arts et la méditation : rien de tout cela n'est compatible avec la course, les échéances, la compétition ou le stress.

Il est possible de « produire » plus et plus vite : des biens matériels, et même des services (comme le minutage des actes médicaux ou infirmiers dans les hôpitaux cherche à le faire). Mais toujours au détriment de la qualité (on ne peut pas offrir la même qualité de réflexion ou de préparation dans une pièce de théâtre montée en trois semaines qu'en deux mois). Est-ce vraiment le genre de soins ou d'accompagnement humain que nous souhaitons que d'avoir affaire à plus d'intervenants, qui sont plus spécialisés et qui nous voient plus rapidement ?

La vitesse est tout à fait compatible avec la quantification et la multiplication. Mais pas avec la qualification : les humains, comme la nature et la vie, ont un rythme propre qui n'est pas celui des machines. C'est à nous de choisir : voulons-nous avoir accès, sans délai, à des milliards de possibilités dont nous ne pourrons jamais utiliser qu'une infime partie, et tenter sans fin d'en faire entrer un peu plus dans les limites contraignantes de notre humanité ? Ou préférons-nous vivre à notre rythme, avec d'autres êtres humains limités, des relations significatives pour nous et pour les autres ?

La technologie et la science n'ont (malheureusement) pas de jugement : elles foncent, sans esprit critique, vers tout ce qu'elles perçoivent comme possibles. C'est à nous, les humains, de décider si c'est ce que nous voulons ou pas. Et d'imposer nos décisions à la science et à la technologie.

Concrètement ? Éteindre la télé et tous nos écrans quelques minutes, heures ou journées, par choix et pour créer des conditions favorables à un autre rapport au temps et à nos vies. Bloquer des plages horaires dans nos agendas, pour les mêmes raisons. S'assurer que nos « vacances » ou nos « loisirs » ne reproduisent pas, autrement ou ailleurs, le rythme effréné de notre vie professionnelle. Privilégier des moments en famille, en couple ou avec des amis, durant lesquels on prend le temps de se parler, de bien manger ou de jouer ensemble. Se donner chaque jour un instant (dont le moment et la durée nous conviennent) pour prendre un peu de recul, se demander si notre vie est bien toujours celle que nous voudrions vivre, et faire les ajustements nécessaires. Etc.

Récuser la performance

Nous ne sommes pas nés pour « performer », ni pour aucun des autres mots qui y sont associés : efficacité, productivité, rentabilité, compétitivité, etc. Nous sommes nés pour vivre. Pour vivre debout, vivants, dignes, heureux. Pour vivre avec d'autres qu'on prend le temps de voir, de rencontrer, d'écouter, d'aimer. Pour partager la vie, ses joies et ses richesses, ses possibilités et ses douleurs, ses surprises et ses accomplissements, avec nos proches et d'autres qui le sont moins.

Tout le reste n'est qu'accessoire, et devrait être réduit au service de l'essentiel. Travailler, gagner de l'argent, consommer des biens ou des services, tout cela n'a de sens que si cela nous aide à mieux vivre. Sinon, on devrait le laisser de côté au profit de nos propres priorités.

Et faire de la place à la *gratuité*, une valeur méconnue dans la culture et le discours publics actuels, mais tellement essentielle pour la vie des individus comme des collectivités. Car qui s'occupe des enfants en bas âge, accompagne les malades, écoute les gens seuls, anime les troupes scoutes et les clubs de jeunes scientifiques, entraîne les équipes de hockey ou de football, accueille les passants en permettant que les lieux de culte restent ouverts, sinon des bénévoles qui consacrent gratuitement leur temps à ces tâches essentielles mais sous-valorisées (et non comptabilisées dans la « richesse » d'un pays mesurée par le PIB) ?

Cette gratuité ne touche d'ailleurs pas que l'absence de rémunération du bénévolat : elle vaut tout autant, sinon plus, comme condition de la culture, de l'art et de la spiritualité, c'est-à-dire ces dimensions essentielles de la vie qui n'ont pas de prime abord de valeur marchande. Notre société a valorisé la dimension de « produits culturels », développé le Quartier des spectacles ou cherché à faire de Montréal la capitale du cirque à partir du succès commercial exceptionnel du Cirque du Soleil. Mais la culture et l'art sont tout autre chose que des « produits » à commercialiser, dont la valeur ne se mesurerait qu'à l'aune de la stricte rentabilité économique (comme on le voit dans le domaine de la littérature ou du cinéma).

Pratiquer la gratuité, la valoriser, en étendre les champs d'application est l'une des manières privilégiées de refuser la performance et l'utilitarisme. On peut (et on devrait) introduire de la gratuité presque partout dans nos vies : renoncer à payer (ou à faire payer) les services rendus, éviter de chercher à « compenser » pour une invitation reçue ou un coup de main donné (en offrant un cadeau ou en invitant à son tour, pour « être quitte »), faire des prêts sans intérêts (même à l'extérieur de la famille immédiate), prendre des décisions « économiquement non rentables » parce qu'elles sont bonnes ou meilleures pour nous à d'autres niveaux, être pro-actifs dans la mise en commun de biens et services (offrir soi-même des formes de copropriété, d'échange ou de partage à ses voisins ou son entourage, parce que la plupart du temps ceux-ci n'y ont même pas songé ou n'oseraient pas en prendre l'initiative tellement c'est à contre-courant), donner généreusement de son temps et de son argent à des individus ou des groupes qui en ont besoin (on récolte toujours plus en semant généreusement qu'en accumulant soigneusement), etc.

APPRENDRE À PENSER « À 7 MILLIARDS D'HUMAINS »

C'est Riccardo Petrella, économiste et politologue européen, qui m'a appris la nécessité de changer mon échelle de perspective. Devant les défis déjà présents il y a 20 ans, il insistait sur le besoin d'apprendre à « vivre-à-6-milliards » (à l'époque !), et donc à penser en fonction de la planète tout entière. Comment arriverons-nous à intégrer les besoins, mais aussi les capacités et les ressources de tous ces hommes, ces femmes et ces enfants si différents, et pourtant tous fondamentalement semblables : nés égaux en droits et en dignité, aspirant à une vie décente et au bonheur, pour eux et pour leurs proches ?

Nous avons besoin de nous décentrer, à tous les points de vue. Nous décentrer du « je-me-moi » qu'on a mis sur un piédestal et dont on a fait le centre du marché et de la consommation. Nous décentrer du « nous » identitaire, qu'il faut reconnaître et faire respecter, mais qui n'est que le préalable de l'ouverture et de la rencontre de « l'autre ». Nous décentrer de notre « supériorité » occidentale (notre richesse matérielle, nos succès scientifiques, notre suprématie militaire, nos valeurs démocratiques, etc.). Nous décentrer de nos croyances religieuses (ou de notre athéisme) : les autres systèmes de croyances, religions ou spiritualités ont aussi leurs richesses, leur histoire et leurs « grands témoins ». Nous décentrer de notre géographie « américano-centriste » : le monde vu à partir de l'Inde, de la Chine ou du grand continent africain ne ressemble guère à celui que nous voyons d'ici. Nous décentrer enfin même de notre perspective anthropocentrique : l'être humain est certes très important, mais il fait partie d'un écosystème qui l'englobe et dont il dépend entièrement.

En ce sens, tout ce qui nous aide à « penser-à-7-milliards-d'humains » et à inclure la planète entière dans notre équation de référence et dans toutes nos décisions à prendre est hautement utile pour la construction de ce nouveau monde auquel nous aspirons.

Et pour y parvenir concrètement, nous pouvons d'abord nous ouvrir à l'altérité (et aux différences) la plus proche : notre famille, nos collègues de classe ou de travail, nos voisins ; mais aussi aux nombreux et très divers immigrants de partout dans le monde, avec leur culture, leur langue, leurs usages et conceptions du monde, etc. Nous pouvons également nous intéresser davantage à ce qui se passe au niveau international (par les journaux, l'Internet, le cinéma, les romans, etc.). Et nous devons surtout cultiver un « regard large », chaque fois que nous réfléchissons à une question ou que nous devons prendre une décision : qu'est-ce qui contribue le mieux à bâtir ce « monde-à-7-milliards-de-frères-et-sœurs » que nous devons construire ?

ACCEPTER LA TRANSCENDANCE

Je termine sur ce sujet litigieux mais crucial : l'acceptation humble par l'être humain qu'il n'est pas le centre, le sommet, le début ou la fin de tout. L'acceptation que malgré ses extraordinaires prouesses, l'humain demeure un élément petit au sein d'un univers qui le précède et qui le dépasse. L'acceptation qu'il existe « Plus-Grand-que-soi », que celui-ci soit le cosmos, Dieu, la Pachamama (Terre-Mère), Gaïa, la vie ou toute autre forme de Transcendance. Bref, l'acceptation de ses « limites », non pas accidentelles ou temporaires, mais inhérentes à la condition humaine elle-même.

Ce sujet étant éminemment personnel, je ne m'attarderai pas davantage, sinon pour dire que, là aussi, bien des choses concrètes peuvent être faites pour favoriser une telle dimension.

D'abord prendre du temps gratuit pour soi : ce genre de question surgit rarement dans l'agitation de nos activités quotidiennes. Fréquenter, si on le souhaite, des « témoins » divers de telles préoccupations : toutes les traditions religieuses, spirituelles ou laïques qui ont abordé ces thèmes ont leur penseurs, leurs « grands hommes » ou « grandes femmes », bref ceux et celles que j'appelle les « témoins » significatifs de ces courants de pensée et d'action. Car rien de mieux que de fréquenter de grands musiciens ou interprètes pour mieux connaître, apprécier ou pratiquer la musique !

Lire, prier, méditer, réfléchir en silence : autant de voies pour trouver sa juste place dans le monde et l'univers. Mais aussi « demander » ou « désirer » : cela peut sembler étrange, surtout si on ne croit pas à l'existence ou à la présence d'une « Altérité » quelconque à laquelle notre demande ou notre désir pourrait s'adresser. Et pourtant, je demeure convaincu par ma propre expérience qu'il n'y a rien de mieux que le désir pour se mettre soi-même dans des dispositions favorables à la réalisation, sous la forme espérée ou non, de ses désirs. Je ne peux pas, par mon seul désir, trouver l'amour que je souhaite partager avec une autre personne. Mais le fait de le désirer vraiment, de le reconnaître explicitement et d'exprimer au besoin ce désir, est la meilleure façon que je connaisse de devenir ouvert à cette possibilité, attentif à ses signes possibles, réceptif aux occasions qui se présentent. C'est vrai pour l'amour. Et c'est vrai pour le rapport à la Transcendance qui n'est autre chose, pour moi, que l'Amour.

CONCLUSION

Au terme de ce parcours, j'ai le goût de partager avec vous mon espoir et mon élan.

Nous avons abordé ensemble des questions difficiles. Nous avons regardé en face les défis que nous préférons souvent oublier. Et les perspectives peuvent avec raison paraître sombres si nous n'avons pas la sagesse et le courage d'agir en conséquence.

Et pourtant, si *ROMPRE !* est un cri, ce n'est pas un cri de désespoir mais un cri d'amour. Ce n'est pas une nostalgie du passé mais une anticipation du futur. Mais un futur qui ne sera hospitalier pour les humains que si nous le bâtissons nous-mêmes ainsi. Car il ne nous tombera certainement pas du ciel, ni comme une conséquence du monde dans lequel nous vivons présentement.

Le monde actuel n'est pas fait pour les hommes et les femmes qui l'habitent ; il est fait pour générer de la « richesse » au profit d'une petite minorité d'humains, au niveau de la planète comme de chaque pays, aux dépens de l'immense majorité. Mais ce n'est pas une fatalité ni une loi de la nature. Et il nous appartient de refuser ce qui opprime pour construire au service du bien commun.

Pour nous battre contre les forces mortifères, comme pour construire une alternative, il faut de l'amour et de l'enthousiasme. Il faut aimer assez la vie et nos frères et sœurs humains pour nous lever chaque jour et reprendre patiemment, inlassablement, le travail et le combat entrepris la veille. Il faut croire à demain et faire confiance à ce que l'humain (moi comme l'autre) a de meilleur en lui-même. Il faut dépasser la colère, la rancœur ou l'indignation pour anticiper la joie et le bonheur des progrès, des petites réussites comme des petites victoires.

Dans la vie, la mienne comme la vôtre, on n'accepte de changer que si on peut entrevoir un « plus » ou un « mieux », pour soi-même ou pour les autres. On n'accepte de se mobiliser que par amour pour quelqu'un ou quelque chose : son conjoint, sa famille, sa société ou son pays.

La vie est un cadeau magnifique. La Terre est une merveille de la Création. Les humains sont capables du meilleur, aussi bien que du pire. Je choisis de faire sans cesse appel au meilleur des personnes, à commencer par moi-même. Et avec ce meilleur, constamment interpellé, encouragé et valorisé, il devient possible de construire peu à peu ce monde différent auquel tant de gens aspirent.

Ce ne sera ni facile, ni rapide, ni linéaire. Il y aura des avancées, des tâtonnements et des reculs. Mais ce sera (c'est déjà !) une aventure passionnante, qui offrira du sens à nos vies individuelles et un avenir possible à notre destinée collective.

RÉFÉRENCES

COMME JE L'AI INDIQUÉ dès le départ, je n'avais pas en écrivant ce livre l'intention de prouver quoi que ce soit, ou de convaincre qui que ce soit. Je n'avais que le désir d'interpeller le lecteur ou la lectrice, de faire appel à son cœur et à ses émotions autant qu'à sa raison. Et c'est la raison pour laquelle je me suis abstenu de citer de nombreuses sources ou de multiplier les notes de bas de page.

J'ai déjà dit aussi combien je devais le contenu de ce livre à une foule innombrable d'auteurs, d'intervenants et de praticiens dans tous les domaines. Je serais bien en peine de retracer l'origine de toutes ces idées que j'ai faites miennes et que j'ai partagées avec vous comme si j'en étais la source. Je ne fournirai donc pas ici la bibliographie exhaustive de tout ce qui m'a servi à développer ma pensée.

Enfin, il y a un grand nombre d'ouvrages qui permettraient d'approfondir l'un ou l'autre sujet abordés dans ce livre. Mais il serait long, fastidieux et un peu arbitraire de choisir parmi tous ces documents pertinents.

En conséquence, je me contenterai de fournir les références des œuvres et des auteurs auxquels j'ai fait allusion au fil du texte, même quand ce n'était qu'à titre de clins d'œil. En espérant que cela vous permette, à votre tour, de vagabonder dans quelques-unes de ces terres fertiles.

* * *

ANDERSEN, HANS CHRISTIAN. « Les habits neufs de l'empereur », in *Contes choisis*, Paris, Gallimard Jeunesse, 2010.

ARCAND, DENYS. *Le confort et l'indifférence*, film dzocumentaire de 1981, ONF, 108 minutes.

BEIGBEDER, FRÉDÉRIC. *99 F (14,99 €)*, Paris, Gallimard, 2000.

BIBLE. *Livre du Lévitique*, chapitre 25 : sur l'institution du Jubilé.

BLONDIN, DENIS. *La mort de l'argent : Essai d'anthropologie naïve*, Lachine, Éditions de la Pleine Lune, 2003.

BOISVERT, DOMINIQUE. « ROMPRE ! », dossier de la revue *Relations*, n° 633, septembre 1997, p. 199-214, <www.cjf.qc.ca/userfiles/Relations_Rompre_%20septembre1997.pdf>.

CARR, NICHOLAS. *Internet rend-il bête ?*, Paris, Robert Laffont, 2011.

CHURCHILL, WINSTON. « Discours à la Chambre du 13 mai 1940 », <www.youtube.com/watch?v=gVg7rnRheK8>.

Déclaration universelle des droits de l'homme, adoptée par l'Assemblée générale des Nations Unies, le 10 décembre 1948 à Paris, <www.un.org/fr/documents/udhr/>.

DIAMOND, JARED. *Effondrement : Comment les sociétés décident de leur disparition ou de leur survie*, Paris, Gallimard, 2006.

GANDHI. *La jeune Inde*, Paris, Stock, 1948 [1924].

GOLDSTEIN, JOSHUA S. (auteur de *Winning the War on War*) ET PINKER, STEVEN (auteur de *The Better Angels of Our Nature : Why Violence Has Declined*). « War Really is Going Out of Style », *The New York Times Sunday Review*, 18 décembre 2011.

GREGG, RICHARD B. *The Value of Voluntary Simplicity*, Wallingford, Pennsylvania, Pendle Hill, 1936, <www.dua-

neelgin.com/wpcontent/uploads/2010/11/the_value_
of_voluntary_simplicity.pdf>.

HESSEL, STÉPHANE. *Indignez-vous !*, Montpellier, Indigène
éditions, coll. « Ceux qui marchent contre le vent », 2010
(une édition revue et augmentée a été publiée fin 2011,
après plus de 4 millions de livres vendus et près de 40 éditions étrangères).

MCLUHAN, MARSHALL. *Pour comprendre les médias : les pro-
longements technologiques de l'homme*, Paris, Seuil, 1968.

MOORE LAPPÉ, FRANCES. *EcoMind : Changing the Way We
Think to Create the World We Want*, New York, Nation
Books, 2011.

PERRAULT, PIERRE ET MICHEL BRAULT. *Pour la suite du
monde*, ONF, 1962, 105 minutes.

PETRELLA, RICCARDO. *Pour une nouvelle narration du monde*,
Montréal, Écosociété, 2007.

RABHI, PIERRE. *Appel pour une insurrection des consciences*,
2002, <www.appel-consciences.info/spip.php?article5>.

RABHI, PIERRE. *Vers la sobriété heureuse*, Arles, Actes Sud,
2010.

ROY, MATHIEU. *Survivre au progrès*, Cinémaginaire et Big Pic-
ture Media Corporation (en collaboration avec l'ONF),
2011, 88 minutes.

SERREAU, COLINE. *La belle verte*, Les Films Alain Sarde, 1996,
91 minutes.

SHARP, GENE. *La guerre civilisée : la défense par actions civiles*,
Grenoble, Presses de l'Université de Grenoble, 1995.

WIKIPEDIA (<http://fr.wikipedia.org/wiki/Wikiédia:Ac-
cueil_principal>)

  Cette source encyclopédique sur Internet a la caractéristique et l'avantage, comme tous les instruments « wiki »
  sur la Toile, d'être un outil participatif, construit collectivement par l'ensemble des internautes qui veulent y
  contribuer, en constante évolution et appartenant maintenant à la Wikimedia Foundation, un organisme à but
  non lucratif. C'est là une illustration intéressante d'un
  type de projet collectif proche de ce que je pressens
  comme indispensable pour le monde différent que nous
  devons bâtir.

WRIGHT, RONALD. *Brève histoire du progrès*, Montréal, Hur-
tubise HMH, 2006.

LES ÉDITIONS
écosociété
MONTRÉAL

Faites circuler nos livres.

Discutez-en avec d'autres personnes.

Si vous avez des commentaires, faites-les-nous parvenir; il nous fera
plaisir de les communiquer aux auteurEs et à notre comité éditorial.

Les Éditions Écosociété
C.P. 32052, comptoir Saint-André
Montréal (Québec) H2L 4Y5

Courriel: info@ecosociete.org
Toile: www.ecosociete.org

NOS DIFFUSEURS

EN AMÉRIQUE **Diffusion Dimédia inc.**
539, boulevard Lebeau
Saint-Laurent (Québec) H4N 1S2
Téléphone: (514)336-3941
Télécopieur: (514)331-3916
Courriel: general@dimedia.qc.ca

EN FRANCE et **DG Diffusion**
EN BELGIQUE ZI de Bogues
31750 Escalquens
Téléphone: 05 61 00 09 99
Télécopieur: 05 61 00 23 12
Courriel: dg@dgdiffusion.com

EN SUISSE **Servidis S.A**
Chemin des Chalets
1279 Chavannes-de-Bogis
Téléphone et télécopieur: 022 960 95 25
Courriel: commandes@servidis.ch

RECYCLÉ
Papier
FSC FSC® C100212

Achevé d'imprimer
en septembre deux mille douze, sur les presses
de l'imprimerie Gauvin, Gatineau, Québec